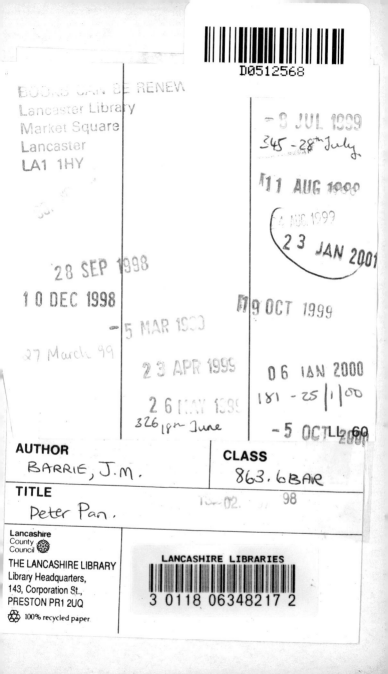

D0512568

BOOKS CAN BE RENEW
Lancaster Library
Market Square
Lancaster
LA1 1HY

- 8 JUL 1999
345 - 28th July.

11 AUG 1999

4 AUG 1999
2 3 JAN 2001

28 SEP 1998

1 0 DEC 1998

- 5 MAR 1999

27 March 99

2 3 APR 1999

2 6 MAY 1999

326 18th June

9 OCT 1999

0 6 JAN 2000

181 - 25|1|00

- 5 OCT 2000

AUTHOR
BARRIE, J.M.

CLASS
863.6 BAR

TITLE
Peter Pan.

98

Lancashire
County
Council

THE LANCASHIRE LIBRARY
Library Headquarters,
143, Corporation St.,
PRESTON PR1 2UQ

100% recycled paper

LANCASHIRE LIBRARIES

3 0118 06348217 2

Peter Pan

Sección: Literatura

J. M. Barrie:
Peter Pan

Ilustraciones de
F. D. Bedford

El Libro de Bolsillo
Alianza Editorial
Madrid

06348217

Título original: *Peter Pan*
Traductor: Nazaret de Terán Bleiberg

Primera edición en «El Libro de Bolsillo»: 1987
Quinta reimpresión en «El Libro de Bolsillo»: 1994

Reservados todos los derechos. De conformidad con lo dispuesto en
el art. 534-bis del Código Penal vigente, podrán ser castigados con
penas de multa y privación de libertad quienes reprodujeren o
plagiaren, en todo o en parte, una obra literaria, artística o científica
fijada en cualquier tipo de soporte sin la preceptiva autorización.

© de la traducción: Nazaret de Terán Bleiberg
© Alianza Editorial, S. A., Madrid, 1987, 1989, 1992, 1993, 1994
    Calle Juan Ignacio Luca de Tena, 15; 28027 Madrid; teléf. 741 66 00
    ISBN: 84-206-0280-9
    Depósito legal: M. 25.000-1994
    Impreso en Closas-Orcoyen, S. L. Polígono Igarsa
    Paracuellos de Jarama (Madrid)
    Printed in Spain

1. Aparece Peter

Todos los niños crecen, excepto uno. No tardan en saber que van a crecer y Wendy lo supo de la siguiente manera. Un día, cuando tenía dos años, estaba jugando en un jardín, arrancó una flor más y corrió hasta su madre con ella. Supongo que debía de estar encantadora, ya que la señora Darling se llevó la mano al corazón y exclamó:

—¡Oh, por qué no podrás quedarte así para siempre!

No hablaron más del asunto, pero desde entonces Wendy supo que tenía que crecer. Siempre se sabe eso a partir de los dos años. Los dos años marcan el principio del fin.

Como es natural, vivían en el 14 y hasta que llegó Wendy su madre era la persona más importante. Era una señora encantadora, de mentalidad romántica y dulce boca burlona. Su mentalidad romántica era como esas cajitas, procedentes del misterioso Oriente, que van unas dentro de las otras y que por muchas que uno descubra siempre hay una más; y su dulce boca burlona guardaba un beso que Wendy nunca pudo conseguir, aunque allí estaba, bien visible en la comisura derecha.

Así es como la conquistó el señor Darling: los numerosos caballeros que habían sido muchachos cuando ella era una jovencita descubrieron simultáneamente que estaban enamorados de ella y todos corrieron a su casa para declararse, salvo el señor Darling, que tomó un coche y llegó el primero y por eso la consiguió. Lo consiguió todo de ella, menos la cajita más recóndita y el beso. Nunca supo lo de la cajita y con el tiempo renunció a intentar obtener el beso. Wendy pensaba que Napoleón podría haberlo conseguido, pero yo me lo imagino intentándolo y luego marchándose furioso, dando un portazo.

El señor Darling se vanagloriaba ante Wendy de que la madre de ésta no sólo lo quería, sino que lo respetaba. Era uno de esos hombres astutos que lo saben todo acerca de las acciones y las cotizaciones. Por supuesto, nadie entiende de eso realmente, pero él daba la impresión de que sí lo entendía y comentaba a menudo que las cotizaciones estaban en alza y las acciones en baja con un aire que habría hecho que cualquier mujer lo respetara.

La señora Darling se casó de blanco y al principio llevaba las cuentas perfectamente, casi con alegría, como si fuera un juego, y no se le escapaba ni una col de Bruselas; pero poco a poco empezaron a desaparecer coliflores enteras y en su lugar aparecían dibujos de bebés sin cara. Los dibujaba cuando debería haber estado haciendo la suma total. Eran los presentimientos de la señora Darling.

Wendy llegó la primera, luego John y por fin Michael.

Durante un par de semanas tras la llegada de Wendy estuvieron dudando si se la podrían quedar, pues era una boca más que alimentar. El señor Darling estaba orgullosísimo de ella, pero era muy honrado y se sentó en el borde de la cama de la señora Darling, sujetándole la mano y calculando gastos, mientras ella lo miraba implorante. Ella quería correr el riesgo, pasara lo que pasara, pero él no hacía las cosas así: él hacía las cosas con un lápiz y un papel y si ella lo confundía haciéndole sugerencias tenía que volver a empezar desde el principio.

—No me interrumpas —le rogaba—. Aquí tengo una libra con diecisiete y dos con seis en la oficina; puedo prescindir del café en la oficina, pongamos diez chelines, que hacen dos libras, nueve chelines y seis peniques, con tus dieciocho y tres hacen tres libras, nueve chelines y siete peniques... ¿quién está moviéndose?... ocho, nueve, siete, coma y me llevo siete... no hables, mi amor... y la libra que le prestaste a ese hombre que vino a la puerta... calla, niña... coma y me llevo niña... ¡ves, ya está mal!... ¿he dicho nueve libras, nueve chelines y siete peniques? Sí, he dicho nueve libras, nueve chelines y siete peniques; el problema es el siguiente: ¿podemos intentarlo por un año con nueve libras, nueve chelines y siete peniques?

—Claro que podemos, George —exclamó ella. Pero estaba predispuesta en favor de Wendy y, en realidad, de los dos, él era quien tenía un carácter más fuerte.

—Acuérdate de las paperas —le advirtió casi amenazadoramente y se puso a calcular otra vez—. Paperas una libra, eso es lo que he puesto, pero seguro que serán más bien treinta chelines... no hables... sarampión una con cinco, rubeola media guinea, eso hace dos libras, quince chelines y seis peniques... no muevas el dedo... tos ferina, pongamos que quince chelines...

Y así fue pasando el tiempo y cada vez daba un total distinto; pero al final Wendy pudo quedarse, con las paperas reducidas a doce chelines y seis peniques y los dos tipos de sarampión considerados como uno solo.

Con John se produjo la misma agitación y Michael se libró aún más por los pelos, pero se quedaron con los dos y pronto se veía a los tres caminando en fila rumbo al

Jardín de Infancia de la señorita Fulsom, acompañados de
su niñera.

A la señora Darling le encantaba tener todo como es
debido y el señor Darling estaba obsesionado por ser
exactamente igual que sus vecinos, de forma que, como es
lógico, tenían una niñera. Como eran pobres, debido a la
cantidad de leche que bebían los niños, su niñera era una
remilgada perra de Terranova, llamada Nana, que no
había pertenecido a nadie en concreto hasta que los
Darling la contrataron. Sin embargo, los niños siempre le
habían parecido importantes y los Darling la conocieron
en los Jardines de Kensington, donde pasaba la mayor
parte de su tiempo libre asomando el hocico al interior de
los cochecitos de los bebés y era muy odiada por las
niñeras descuidadas, a las que seguía hasta sus casas y
luego se quejaba de ellas ante sus señoras. Demostró ser
una joya de niñera. Qué meticulosa era a la hora del baño,
lo mismo que en cualquier momento de la noche si uno
de sus tutelados hacía el menor ruido. Por supuesto, su
perrera estaba en el cuarto de los niños. Tenía una
habilidad especial para saber cuándo no se debe ser
indulgente con una tos y cuándo lo que hace falta es
abrigar la garganta con un calcetín. Hasta el fin de sus días
tuvo fe en remedios anticuados como el ruibarbo y
soltaba gruñidos de desprecio ante toda esa charla tan de
moda sobre los gérmenes y cosas así. Era una lección de
decoro verla cuando escoltaba a los niños hasta la escuela,
caminando con tranquilidad a su lado si se portaban bien
y obligándolos a ponerse en fila otra vez si se dispersaban.
En la época en que John comenzó a ir al colegio jamás se
olvidó de su jersey y normalmente llevaba un paraguas en
la boca por si llovía. En la escuela de la señorita Fulsom
hay una habitación en el bajo donde esperan las niñeras.
Ellas se sentaban en bancos, mientras que Nana se echaba
en el suelo, pero ésa era la única diferencia. Ellas hacían

como si no la vieran, pues pensaban que pertenecía a una clase social inferior a la suya y ella despreciaba su charla superficial. Le molestaba que las amistades de la señora Darling visitaran el cuarto de los niños, pero si llegaban, primero le quitaba rápidamente a Michael el delantal y le ponía el de bordados azules, le arreglaba a Wendy la ropa y le alisaba el pelo a John.

Ninguna guardería podría haber funcionado con mayor corrección y el señor Darling lo sabía, pero a veces se preguntaba inquieto si los vecinos hacían comentarios.

Tenía que tener en cuenta su posición social.

Nana también le causaba otro tipo de preocupación. A veces tenía la sensación de que ella no lo admiraba.

—Sé que te admira horrores, George —le aseguraba la señora Darling y luego les hacía señas a los niños para que fueran especialmente cariñosos con su padre. Entonces se organizaban unos alegres bailes, en los que a veces se permitía que participara Liza, la única otra sirvienta. Parecía una pizca con su larga falda y la cofia de doncella, aunque, cuando la contrataron, había jurado que ya no volvería a cumplir los diez años. ¡Qué alegres eran aquellos juegos! Y la más alegre de todos era la señora Darling, que brincaba con tanta animación que lo único que se veía de ella era el beso y si en ese momento uno se hubiera lanzado sobre ella podría haberlo conseguido. Nunca hubo familia más sencilla y feliz hasta que llegó Peter Pan.

La señora Darling supo por primera vez de Peter cuando estaba ordenando la imaginación de sus hijos. Cada noche; toda buena madre tiene por costumbre, después de que sus niños se hayan dormido, rebuscar en la imaginación de éstos y ordenar las cosas para la mañana siguiente, volviendo a meter en sus lugares correspondientes las numerosas cosas que se han salido durante el día. Si pudiérais quedaros despiertos (pero claro que no

podéis) veríais cómo vuestra propia madre hace esto y os
resultaría muy interesante observarla. Es muy parecido a
poner en orden unos cajones. Supongo que la veríais de
rodillas, repasando divertida algunos de vuestros conteni-
dos, preguntándose de dónde habíais sacado tal cosa,
descubriendo cosas tiernas y no tan tiernas, acariciando
esto con la mejilla como si fuera tan suave como un gatito
y apartando rápidamente esto otro de su vista. Cuando os
despertáis por la mañana, las travesuras y los enfados con
que os fuisteis a la cama han quedado recogidos y coloca-
dos en el fondo de vuestra mente y encima, bien aireados,
están extendidos vuestros pensamientos más bonitos,
preparados para que os los pongáis.

No sé si habéis visto alguna vez un mapa de la mente de
una persona. A veces los médicos trazan mapas de otras
partes vuestras y vuestro propio mapa puede resultar
interesantísimo, pero a ver si alguna vez los pilláis trazan-
do el mapa de la mente de un niño, que no sólo es
confusa, sino que no para de dar vueltas. Tiene líneas en
zigzag como las oscilaciones de temperatura en un gráfico
cuando tenéis fiebre y que probablemente son los cami-
nos de la isla, pues el País de Nunca Jamás es siempre una
isla, más o menos, con asombrosas pinceladas de color
aquí y allá, con arrecifes de coral y embarcaciones de
aspecto veloz en alta mar, con salvajes y guaridas solita-
rias y gnomos que en su mayoría son sastres, cavernas por
las que corre un río, príncipes con seis hermanos mayores, una choza que se descompone rápidamente y una
señora muy bajita y anciana con la nariz ganchuda. Si eso
fuera todo sería un mapa sencillo, pero también está el
primer día de escuela, la religión, los padres, el estanque
redondo, la costura, asesinatos, ejecuciones, verbos que
rigen dativo, el día de comer pastel de chocolate, ponerse
tirantes, dime la tabla del nueve, tres peniques por arran-
carse un diente uno mismo y muchas cosas más que son

parte de la isla o, si no, constituyen otro mapa que se transparenta a través del primero y todo ello es bastante confuso, sobre todo porque nada se está quieto.

Como es lógico, los Países de Nunca Jamás son muy distintos. El de John, por ejemplo, tenía una laguna con flamencos que volaban por encima y que John cazaba con una escopeta, mientras que Michael, que era muy pequeño, tenía un flamenco con lagunas que volaban por encima. John vivía en una barca encallada del revés en la arena, Michael en una tienda india, Wendy en una casa de hojas muy bien cosidas. John no tenía amigos, Michael tenía amigos por la noche, Wendy tenía un lobito abandonado por sus padres; pero en general los Países de Nunca Jamás tienen un parecido de familia y si se colocaran inmóviles en fila uno tras otro se podría decir que las narices son idénticas, etcétera. A estas mágicas tierras arriban siempre los niños con sus barquillas cuando juegan. También nosotros hemos estado allí: aún podemos oir el ruido del oleaje, aunque ya no desembarcaremos jamás.

De todas las islas maravillosas la de Nunca Jamás es la más acogedora y la más comprimida: no se trata de un lugar grande y desparramado, con incómodas distancias entre una aventura y la siguiente, sino que todo está agradablemente amontonado. Cuando se juega en ella durante el día con las sillas y el mantel, no da ningún miedo, pero en los dos minutos antes de quedarse uno dormido se hace casi realidad. Por eso se ponen luces en las mesillas.

A veces, en el transcurso de sus viajes por las mentes de sus hijos, la señora Darling encontraba cosas que no conseguía entender y de éstas la más desconcertante era la palabra Peter. No conocía a ningún Peter y, sin embargo, en las mentes de John y Michael aparecía aquí y allá, mientras que la de Wendy empezaba a estar invadida por todas partes de él. El nombre destacaba en letras mayores que las de cualquier otra palabra y mientras la señora Darling lo contemplaba le daba la impresión de que tenía un aire curiosamente descarado.

—Sí, es bastante descarado —admitió Wendy a regañadientes. Su madre le había estado preguntando.

—¿Pero quién es, mi vida?

—Es Peter Pan, mamá, ¿no lo sabes?

Al principio la señora Darling no lo sabía, pero después de hacer memoria y recordar su infancia se acordó de un tal Peter Pan que se decía que vivía con las hadas. Se contaban historias extrañas sobre él, como que cuando los niños morían él los acompañaba parte del camino, para que no tuvieran miedo. En aquel entonces ella creía en él, pero ahora que era una mujer casada y llena de sentido común dudaba seriamente que tal persona existiera.

—Además —le dijo a Wendy—, ahora ya sería mayor.

—Oh no, no ha crecido —le aseguró Wendy muy convencida—, es de mi tamaño.

Quería decir que era de su tamaño tanto de cuerpo como de mente; no sabía cómo lo sabía, simplemente lo sabía.

La señora Darling pidió consejo al señor Darling, pero éste sonrió sin darle importancia.

—Fíjate en lo que te digo —dijo—, es una tontería que Nana les ha metido en la cabeza; es justo el tipo de cosa que se le ocurriría a un perro. Olvídate de ello y ya verás cómo se pasa.

Pero no se pasaba y no tardó el molesto niño en darle un buen susto a la señora Darling.

Los niños corren las aventuras más raras sin inmutarse. Por ejemplo, puede que se acuerden de comentar, una semana después de que haya ocurrido la cosa, que cuando estuvieron en el bosque se encontraron con su difunto padre y jugaron con él. De esta forma tan despreocupada fue como una mañana Wendy reveló un hecho inquietante. Aparecieron unas cuantas hojas de árbol en el suelo del cuarto de los niños, hojas que ciertamente no habían estado allí cuando los niños se fueron a la cama y la señora Darling se estaba preguntando de dónde habrían salido cuando Wendy dijo con una sonrisa indulgente:

—¡Seguro que ha sido ese Peter otra vez!

—¿Qué quieres decir, Wendy?

—Está muy mal que no barra —dijo Wendy, suspirando. Era una niña muy pulcra.

Explicó con mucha tranquilidad que le parecía que a veces Peter se metía en el cuarto de los niños por la noche y se sentaba a los pies de su cama y tocaba la flauta para ella. Por desgracia nunca se despertaba, así que no sabía cómo lo sabía, simplemente lo sabía.

—Pero qué bobadas dices, preciosa. Nadie puede entrar en la casa sin llamar.

—Creo que entra por la ventana —dijo ella.

—Pero, mi amor, hay tres pisos de altura.

—¿No estaban las hojas al pie de la ventana, mamá?

Era cierto, las hojas habían aparecido muy cerca de la ventana.

La señora Darling no sabía qué pensar, pues a Wendy todo aquello le parecía tan normal que no se podía desechar diciendo que lo había soñado.

—Hija mía —exclamó la madre—, ¿por qué no me has contado esto antes?

—Se me olvidó —dijo Wendy sin darle importancia. Tenía prisa por desayunar.

Bueno, seguro que lo había soñado.

Pero, por otra parte, allí estaban las hojas. La señora Darling las examinó atentamente: eran hojas secas, pero estaba segura de que no eran de ningún árbol propio de Inglaterra. Gateó por el suelo, escudriñándolo a la luz de

una vela en busca de huellas de algún pie extraño. Metió
el atizador por la chimenea y golpeó las paredes. Dejó
caer una cinta métrica desde la ventana hasta la acera y era
una caída en picado de treinta pies, sin ni siquiera un
canalón al que agarrarse para trepar.

Desde luego, Wendy lo había soñado.

Pero Wendy no lo había soñado, según se demostró a
la noche siguiente, la noche en que se puede decir que
empezaron las extraordinarias aventuras de estos niños.

La noche de la que hablamos todos los niños se encontraban una vez más acostados. Daba la casualidad de que
era la tarde libre de Nana y la señora Darling los bañó y
cantó para ellos hasta que uno por uno le fueron soltando
la mano y se deslizaron en el país de los sueños.

Tenían todos un aire tan seguro y apacible que se
sonrió por sus temores y se sentó tranquilamente a coser
junto al fuego.

Era una prenda para Michael, que en el día de su
cumpleaños iba a empezar a usar camisas. Sin embargo, el
fuego daba calor y el cuarto de los niños estaba apenas
iluminado por tres lamparillas de noche y al poco rato la
labor quedó en el regazo de la señora Darling. Luego ésta
empezó a dar cabezadas con gran delicadeza. Estaba
dormida. Miradlos a los cuatro, Wendy y Michael allí,
John aquí y la señora Darling junto al fuego. Debería
haber habido una cuarta lamparilla.

Mientras dormía tuvo un sueño. Soñó que el País de
Nunca Jamás estaba demasiado cerca y que un extraño
chiquillo había conseguido salir de él. No le daba miedo,
pues tenía la impresión de haberlo visto ya en las caras de
muchas mujeres que no tienen hijos. Quizás también se
encuentre en las caras de algunas madres. Pero en su
sueño había rasgado el velo que oscurece el País de Nunca
Jamás y vio que Wendy, John y Michael atisbaban por el
hueco.

El sueño de por sí no habría tenido importancia alguna, pero mientras soñaba, la ventana del cuarto de los niños se abrió de golpe y un chiquillo se posó en el suelo. Iba acompañado de una curiosa luz, no más grande que un puño, que revoloteaba por la habitación como un ser vivo y creo que debió de ser esta luz lo que despertó a la señora Darling.

Se sobresaltó soltando un grito y vio al chiquillo y de alguna manera supo al instante que se trataba de Peter Pan. Si vosotros o Wendy o yo hubiéramos estado allí nos habríamos dado cuenta de que se parecía mucho al beso de la señora Darling. Era un niño encantador, vestido con hojas secas y los jugos que segregan los árboles, pero la cosa más deliciosa que tenía era que conservaba todos sus dientes de leche. Cuando se dio cuenta de que era una adulta, rechinó las pequeñas perlas mostrándoselas.

La señora Darling gritó y, como en respuesta a una llamada, se abrió la puerta y entró Nana, que volvía de su tarde libre. Gruñó y se lanzó contra el niño, el cual saltó ágilmente por la ventana. La señora Darling volvió a gritar, esta vez angustiada por él, pues pensó que se había matado y bajó corriendo a la calle para buscar su cuerpecito, pero no estaba allí; levantó la vista y no vio nada en la oscuridad de la noche, salvo algo que le pareció una estrella fugaz.

Regresó al cuarto de los niños y se encontró con que Nana tenía una cosa en la boca, que resultó ser la sombra del chiquillo. Al saltar éste por la ventana Nana la había cerrado rápidamente, demasiado tarde para atraparlo, pero a su sombra no le había dado tiempo de escapar: la ventana se cerró de golpe y la arrancó.

Os aseguro que la señora Darling examinó la sombra atentamente, pero era una sombra de lo más corriente.

Nana no tenía dudas sobre qué era lo mejor que se

podía hacer con esta sombra. La colgó fuera de la ventana, como diciendo: «Seguro que vuelve a buscarla: vamos
a ponerla en un sitio donde la pueda coger fácilmente sin
molestar a los niños.»

Pero por desgracia la señora Darling no podía dejarla
colgando de la ventana: parecía parte de la colada y no era
digno del prestigio de la casa. Se le ocurrió enseñársela al
señor Darling, pero éste estaba haciendo cálculos para los
abrigos de invierno de John y Michael, con un paño
húmedo enrollado en la cabeza para mantener el cerebro
despejado y daba pena molestarlo; además, ella ya sabía
perfectamente lo que él diría:

—Todo esto ocurre por tener un perro de niñera.

Decidió enrollar la sombra y ponerla a buen recaudo en
un cajón, hasta que llegara un momento adecuado para
decírselo a su marido. ¡Ay, Dios mío!

El momento llegó una semana después, en aquel viernes de amargo recuerdo. Tenía que ser viernes, cómo no*.

—Debería haber tenido especial cuidado por ser viernes —le decía después a su marido, mientras a lo mejor
Nana estaba a su otro lado, sujetándole la mano.

—No, no —le decía siempre el señor Darling—, yo soy
el responsable de todo. Yo, George Darling, lo hice. *Mea
culpa, mea culpa.*

Había sido educado en el estudio de los clásicos.

Así se quedaban sentados noche tras noche recordando
aquel fatídico viernes, hasta que cada detalle quedaba
grabado en sus cerebros y salía por el otro lado como las
caras de una acuñación defectuosa.

—Si yo no hubiera aceptado esa invitación para cenar
con los del 27 —decía la señora Darling.

---

*Recordemos que según la superstición anglosajona el viernes es día de
mala suerte (N. de la T.)

—Si yo no hubiera echado mi medicina en el tazón de Nana —decía el señor Darling.

—Si yo hubiera fingido que me gustaba la medicina —decían los ojos húmedos de Nana.

—Por culpa de mi afición a las fiestas, George.

—Por culpa de mi nefasto sentido del humor, mi vida.

—Por culpa de mi susceptibilidad por tonterías, queridos amos.

Entonces al menos uno de ellos se derrumbaba por completo; Nana por pensar: «Es cierto, es cierto, no deberían haber tenido un perro de niñera.» Muchas veces era el señor Darling quien enjugaba los ojos de Nana con un pañuelo.

—¡Ese canalla! —exclamaba el señor Darling y Nana lo apoyaba con un ladrido, pero la señora Darling nunca vituperaba a Peter: había algo en la comisura derecha de su boca que no quería que insultara a Peter.

Se quedaban sentados en el vacío cuarto de los niños, recordando con fervor hasta el más mínimo detalle de aquella espantosa noche. Se había iniciado de una forma normal, exactamente igual que tantas otras noches, cuando Nana preparó el agua para el baño de Michael y lo llevó hasta él subido en el lomo.

—No quiero irme a la cama —chilló él, como quien piensa que tiene la última palabra sobre el asunto—. No quiero, no quiero. Nana, todavía no son las seis. Por favor, por favor, ya no te querré más, Nana. ¡Te digo que no me quiero bañar, no y no!

Entonces entró la señora Darling, vestida con su traje de noche blanco. Se había arreglado temprano porque a Wendy le encantaba verla en traje de noche, con el collar que George le había regalado. Llevaba la pulsera de Wendy en el brazo: le había pedido que se la prestara. A Wendy le encantaba prestarle la pulsera a su madre.

Encontró a sus dos hijos mayores jugando a que eran

ella misma y su padre en el día del nacimiento de Wendy y John estaba diciendo:

—Señora Darling, me complace comunicarle que es usted madre —y lo dijo exactamente en el mismo tono en que el señor Darling lo podría haber dicho en la auténtica ocasión.

Wendy bailó de alegría, como lo habría hecho la auténtica señora Darling.

Luego nació John, con la pompa extraordinaria que según él se merecía el nacimiento de un varón y Michael volvió del baño y pidió nacer también, pero John dijo cruelmente que ya no querían más.

Michael casi se echó a llorar.

—Nadie me quiere —dijo y, por supuesto, la señora del traje de noche no pudo soportarlo.

—Yo sí —dijo—. Yo sí que quiero un tercer hijo.

—¿Niño o niña? —preguntó Michael, sin demasiadas esperanzas.

—Niño.

Entonces él se echó en sus brazos. Qué cosa tan insignificante para que se acordaran de ella ahora el señor y la señora Darling y Nana, pero no tan insignificante si aquella iba a ser la última noche de Michael en el cuarto de los niños.

Siguen con sus recuerdos.

—Fue entonces cuando entré yo como un huracán, ¿verdad? —decía el señor Darling, maldiciéndose a sí mismo y es cierto que había sido como un huracán.

Quizás podría disculpársele un poco. También él se había estado arreglando para la fiesta y todo iba bien hasta que llegó a la corbata. Es increíble tener que decirlo, pero este hombre, aunque entendía de acciones y cotizaciones, no conseguía dominar a la corbata. A veces la prenda cedía ante él sin presentar batalla, pero había ocasiones en que habría sido mejor para la casa si se hubiera tragado el orgullo y se hubiera puesto una corbata de nudo hecho.

Esta fue una de esas ocasiones. Entró corriendo en el cuarto de los niños con la terca corbata toda arrugada en la mano.

—Pero bueno, ¿qué ocurre, papá querido?

—¡¿Que qué ocurre?! —aulló él, porque aulló de verdad—. Pues esta corbata, que no se anuda.

Se puso peligrosamente sarcástico.

—¡Alrededor de mi cuello, no! ¡Pero alrededor del barrote de la cama, sí! ¡Ya lo creo, veinte veces he logrado ponerla alrededor del barrote de la cama, pero alrededor de mi cuello, no! ¡Que, por favor, la disculpe!

Le pareció que la señora Darling no había quedado debidamente impresionada y siguió muy serio:

—Te advierto, mamá, que como esta corbata no esté alrededor de mi cuello no salimos a cenar esta noche y, si no salgo a cenar esta noche, no vuelvo a la oficina en mi vida y, si no vuelvo a la oficina, tú y yo nos moriremos de hambre y nuestros hijos se verán arrojados al arroyo.

Incluso entonces la señora Darling no perdió la calma.

—Déjame intentarlo, querido —dijo y en realidad eso era lo que él había venido a pedirle que hiciera y con sus suaves y frescas manos ella le anudó la corbata, mientras los niños se apiñaban alrededor para ver cómo se decidía su destino. A algunos hombres les habría sentado mal que lo hiciera con tanta facilidad, pero el señor Darling tenía un carácter demasiado bueno para eso: le dio las gracias descuidadamente, se olvidó al instante de su furia y un momento después bailaba por la habitación con Michael a la espalda.

—¡Con cuánta alegría bailamos! —dijo ahora la señora Darling, al recordarlo.

—¡Nuestro último baile! —gimió el señor Darling.

—Oh, George, ¿te acuerdas de que Michael me dijo de pronto: «¿Cómo me conociste, mamá?»

—¡Ya lo creo que me acuerdo!

—Eran muy buenos, ¿no crees, George?

—Y eran nuestros, nuestros y ahora ya no los tenemos.

El baile terminó al aparecer Nana y por mala fortuna el señor Darling se chocó con ella, llenándose los pantalones de pelos. No sólo eran pantalones nuevos, sino que además eran los primeros que tenía en su vida con trencilla y tuvo que morderse el labio para evitar las lágrimas. Como es lógico, la señora Darling lo cepilló, pero él volvió a decir que era un error tener a un perro de niñera.

—George, Nana es una joya.

—No lo dudo, pero a veces me da la desagradable impresión de que ve a los niños como si fueran perritos.

—Oh no, querido, estoy segura de que sabe que tienen alma.

—No sé yo —dijo el señor Darling pensativo—, no sé yo.

A su esposa le pareció que era la ocasión de hablarle del chiquillo. Al principio rechazó la historia con desdén, pero se quedó muy serio cuando ella le mostró la sombra.

—No es de nadie que yo conozca —dijo, examinándola cuidadosamente—, pero sí que tiene aire de pillastre.

—¿Te acuerdas? Todavía estábamos hablando de ello —dice el señor Darling—, cuando entró Nana con la medicina de Michael. Nana, nunca volverás a llevar el frasco en la boca y todo por mi culpa.

Siendo como era un hombre fuerte, no hay duda de que tuvo una actitud bastante tonta con lo de la medicina. Si alguna debilidad tenía, ésta era creer que toda su vida había tomado medicinas con valentía y por eso, en esta ocasión, cuando Michael rehuyó la cuchara que Nana llevaba en la boca, dijo en tono reprobador:

—Pórtate como un hombre, Michael.

—No quiero, no quiero —lloriqueó Michael de malos modos. La señora Darling salió de la habitación para ir a buscarle una chocolatina y al señor Darling le pareció que aquello era una falta de firmeza.

—Mamá, no lo malcríes —le gritó—. Michael, cuando yo tenía tu edad me tomaba las medicinas sin rechistar. Decía: «Gracias, queridos padres, por darme remedios para ponerme bien.»

El se creía de verdad que esto era cierto y Wendy, que ya estaba en camisón, también lo creía y dijo, para animar a Michael:

—Papá, esa medicina que tú tomas a veces es mucho peor, ¿verdad?

—Muchísimo peor —dijo el señor Darling con gallardía—, y me la tomaría ahora mismo para darte un ejemplo, Michael, si no fuera porque he perdido el frasco.

No lo había perdido exactamente: se había encaramado en medio de la noche a lo alto de un armario y lo había escondido allí. Lo que no sabía era que la fiel Liza lo había encontrado y lo había vuelto a colocar en el estante de su lavabo.

—Yo sé dónde está, papá —exclamó Wendy, siempre feliz por ser útil—. Te lo traeré.

Y salió corriendo antes de que pudiera detenerla. Al instante se le bajaron los humos de una forma curiosísima.

—John —dijo, estremeciéndose—, es un potingue asqueroso. Es esa cosa horrible, dulzona y pegajosa.

—Será cosa de un momento, papá —dijo John alegremente y entonces entró Wendy corriendo con la medicina en un vaso.

—Me he dado toda la prisa que he podido —dijo jadeando.

—Has sido maravillosamente rauda —contestó su padre, con una cortesía vengativa que a ella le pasó inadvertida.

—Primero Michael —dijo obstinado.

—Primero papá —dijo Michael, que era de natural desconfiado.

—Me voy a poner malo, ¿sabes? —dijo el señor Darling en tono amenazador.

—Vamos, papá —dijo John.

—Tú cállate, John —le espetó su padre.

Wendy estaba muy desconcertada.

—Yo creía que no te costaba tomarla, papá.

—No se trata de eso —contestó él—. Se trata de que en mi vaso hay más que en la cuchara de Michael.

Su orgulloso corazón estaba a punto de estallar.

—Y eso no es justo; lo diría aunque estuviera a punto de dar mi último suspiro: eso no es justo.

—Papá, estoy esperando —dijo Michael con frialdad.

—Me parece muy bien que digas que estás esperando; yo también estoy esperando.

—Papá es un cobardica.

—Tú sí que eres un cobardica.

—Yo no tengo miedo.

—Tampoco tengo miedo yo.

—Pues entonces tómatela.

—Pues entonces tómatela tú.

Wendy tuvo una espléndida idea.

—¿Por qué no os la tomáis los dos a la vez?

—Claro —dijo el señor Darling—. ¿Estás preparado, Michael?

Wendy contó uno, dos, tres y Michael se tomó la medicina, pero el señor Darling se puso la suya detrás de la espalda.

Michael soltó un aullido de rabia y Wendy exclamó:

—¡Oh, papá!

—¿Qué quieres decir con eso de «Oh, papá»? —inqui-

rió el señor Darling—. Deja de gritar, Michael. Me la iba
a tomar, pero... fallé.

Era espantoso cómo lo miraban los tres, como si no lo
admiraran.

—Escuchad todos —dijo en tono de súplica, tan pronto como Nana se hubo metido en el cuarto de baño—, se
me acaba de ocurrir una broma estupenda. Pondré mi
medicina en el tazón de Nana y se la beberá, creyendo
que es leche.

Era del color de la leche, pero los niños no tenían el
sentido del humor de su padre y lo miraron con reproche
mientras vertía la medicina en el tazón de Nana.

—Qué divertido —dijo no muy convencido y ellos no
se atrevieron a delatarlo cuando regresaron Nana y la
señora Darling.

—Nana, perrita —dijo, dándole palmaditas—, te he
puesto un poco de leche en el tazón, Nana.

Nana agitó la cola, corrió hasta la medicina y se puso a
lamerla. Y luego, qué mirada le echó al señor Darling, no
una mirada de rabia: le mostró el gran lagrimal rojo que
nos hace apiadarnos tanto de los perros nobles y se metió
arrastrándose en su perrera.

El señor Darling estaba avergonzadísimo de sí mismo,
pero no cedió. En medio de un horrible silencio la señora
Darling olisqueó el tazón.

—Pero George —dijo—, ¡si es tu medicina!

—Sólo era una broma —rugió él, mientras ella consola-
ba a los chicos y Wendy abrazaba a Nana.

—Pues sí que sirve de mucho —dijo él amargamente—,
que yo me mate tratando de hacer gracias en esta casa.

Y Wendy seguía abrazando a Nana.

—Muy bien —gritó él—. ¡Mímala! A mí nadie me
mima. ¡No, claro que no! Yo sólo soy el que trae el pan a
esta casa, así que por qué habría que mimarme, ¡ a ver,
por qué, por qué, por qué!

—George —le rogó la señora Darling—, no grites tanto, que te van a oir los criados.

Por alguna razón habían adquirido la costumbre de llamar a Liza los criados.

—Pues que me oigan —contestó él sin miramientos—. Que me oiga el mundo entero. Pero me niego a dejar que ese perro siga haciéndose el amo del cuarto de mis niños una hora más.

Los niños se echaron a llorar y Nana corrió hasta él suplicante, pero él la apartó. Volvía a sentirse un hombre fuerte.

—Es inútil, es inútil —exclamó—, el lugar que te corresponde es el patio y allí es donde te voy a atar en este mismo instante.

—George, George —susurró la señora Darling—, recuerda lo que te he dicho sobre ese chiquillo.

Pero, ay, él no la escuchó. Estaba dispuesto a demostrar quién era el amo de esa casa y cuando las órdenes no consiguieron hacer salir a Nana de su perrera, la sacó engatusándola con dulces palabras y agarrándola bruscamente, la arrastró fuera del cuarto de los niños. Estaba avergonzado de sí mismo, pero lo hizo. Todo aquello se debía a su carácter demasiado afectuoso, que ansiaba ser objeto de admiración. Cuando la hubo atado en el patio trasero, el desdichado padre se fue y se sentó en el pasillo, apretándose los ojos con los nudillos.

Entretanto la señora Darling había metido a los niños en la cama en medio de un inusitado silencio y había encendido sus lamparillas de noche. Oían ladrar a Nana y John dijo lloriqueando:

—Es porque la está atando en el patio.

Pero Wendy era más perceptiva.

—Ese no es el ladrido de queja de Nana —dijo, sin sospechar lo que estaba a punto de ocurrir—, ése es el ladrido de cuando huele algún peligro.

¡Peligro!

—¿Estás segura, Wendy?

—Oh, sí.

La señora Darling se estremeció y se acercó a la venta-na. Estaba bien cerrada. Miró hacia afuera y la noche es-taba salpicada de estrellas. Estaban agrupándose alrede-dor de la casa, como si tuvieran curiosidad por ver lo que iba a pasar allí, pero ella no se dio cuenta de esto, ni de que una o dos de las más pequeñas le hacían guiños. No obstante, un miedo impreciso se apoderó de su corazón y le hizo exclamar:

—¡Ay, ojalá no tuviera que ir a una fiesta esta noche!

Incluso Michael, que ya estaba medio dormido, se dio cuenta de que estaba preocupada y preguntó:

—Mamá, ¿es que hay algo que nos pueda hacer daño, después de encender las lamparillas de noche?

—No, mi vida, —dijo ella—, son los ojos que una madre deja para proteger a sus hijos.

Fue de cama en cama cantándoles cosas bonitas y el pequeño Michael le echó los brazos al cuello.

—Mamá —exclamó—, estoy contento de tenerte.

Fueron las últimas palabras que le oiría pronunciar durante mucho tiempo.

El número 27 sólo estaba a unas cuantas yardas de distancia, pero había caído una ligera nevada y los padres Darling caminaron con cuidado para no mancharse los zapatos. Ya eran las únicas personas que había en la calle y todas las estrellas los observaban. Las estrellas son her-mosas, pero no pueden participar activamente en nada, tienen que limitarse a observar eternamente. Es un castigo que les fue impuesto por algo que hicieron hace tanto tiempo que ninguna estrella se acuerda ya de lo que fue. Por ello, a las más viejas se les han puesto los ojos vidriosos y rara vez hablan (el parpadeo es el lenguaje de las estrellas), pero las pequeñas todavía sienten curiosidad. No es que sean realmente amigas de Peter, el cual tiene la traviesa costumbre de acercarse sigilosamente por detrás y tratar de apagarlas de un soplido, pero como les gusta tanto divertirse esta noche estaban de su parte y estaban deseando que los mayores se quitaran de en medio. De modo que en cuanto la puerta del 27 se cerró tras el señor y la señora Darling hubo una conmoción en el firmamento y la más pequeña de todas las estrellas de la Vía Láctea gritó:

—¡Ahora, Peter!

3. ¡Vámonos, vámonos!

Durante un rato después de que el señor y la señora Darling se fueran de la casa, las lamparillas que estaban junto a las camas de los tres niños siguieron ardiendo alegremente. Eran unas lamparillas encantadoras y habría sido de desear que pudieran haberse mantenido despiertas para ver a Peter, pero la lamparilla de Wendy parpadeó y soltó un bostezo tal que las otras dos también bostezaron y antes de cerrar la boca las tres se habían apagado.

Ahora había otra luz en la habitación, mil veces más brillante que las lamparillas y en el tiempo que hemos tardado en decirlo, ya ha estado en todos los cajones del cuarto de los niños, buscando la sombra de Peter, ha revuelto el armario y ha sacado todos los bolsillos. En realidad no era una luz: creaba esta luminosidad porque volaba de un lado a otro a gran velocidad, pero cuando se detenía un segundo se veía que era un hada, de apenas un palmo de altura, pero todavía en etapa de crecimiento. Era una muchacha llamada Campanilla, primorosamente vestida con una hoja, de corte bajo y cuadrado, a través de la cual se podía ver muy bien su figura. Tenía una ligera tendencia al *embonpoint*.

Un momento después de la entrada del hada la ventana se abrió de golpe por el soplido de las estrellitas y Peter se dejó caer dentro. Había llevado a Campanilla parte del camino y todavía tenía la mano manchada de polvillo de hada.

—Campanilla —llamó en voz baja, tras asegurarse de que los niños estaban dormidos—. Campanilla, ¿dónde estás?

En ese momento estaba en un jarro, disfrutando de lo lindo: no había estado en un jarro en su vida.

—Vamos, sal de ese jarro y dime, ¿sabes dónde han puesto mi sombra?

Un tintineo maravilloso como de campanas doradas le contestó. Ese es el lenguaje de las hadas. Los niños normales no lo oís nunca, pero si lo pudiérais oir os daríais cuenta de que ya lo habíais oído en otra ocasión.

Campanilla dijo que la sombra estaba en la caja grande. Quería decir la cómoda y Peter se lanzó sobre los cajones, tirando lo que contenían al suelo con las dos manos, del mismo modo en que los reyes lanzan monedas a la muchedumbre. Al poco ya había recuperado su sombra y con el entusiasmo se olvidó de que había dejado a Campanilla encerrada en el cajón.

Lo único que pensaba, aunque no creo que pensara jamás, era que su sombra y él, cuando se juntaran, se unirían como dos gotas de agua y cuando no fue así se quedó horrorizado. Intentó pegársela con jabón del cuarto de baño, pero eso también falló. Un escalofrío recorrió a Peter, que se sentó en el suelo y se echó a llorar.

Sus sollozos despertaron a Wendy, que se sentó en la cama. No se alarmó al ver a un desconocido llorando en el suelo del cuarto, sólo sentía un agradable interés.

—Niño —dijo con cortesía—, ¿por qué lloras?

Peter también podía ser enormemente cortés, pues había aprendido los buenos modales en las ceremonias de las hadas y se levantó y se inclinó ante ella con gran finura. Ella se sintió muy complacida y lo saludó con elegancia desde la cama.

—¿Cómo te llamas? —preguntó él.

—Wendy Moira Angela Darling —replicó ella con cierta satisfacción—. Y tú, ¿cómo te llamas?

—Peter Pan.

Ella ya estaba segura de que tenía que ser Peter, pero le parecía un nombre bastante corto.

—¿Eso es todo?

—Sí —dijo él con aspereza. Por primera vez le parecía que era un nombre algo corto.

—Cómo lo siento —dijo Wendy Moira Angela.

—No es nada —masculló Peter.

Ella le preguntó dónde vivía.

—Segunda a la derecha —dijo Peter—, y luego todo recto hasta la mañana.

—¡Qué dirección más rara!

Peter se sintió desalentado. Por primera vez le parecía que quizás sí que era una dirección rara.

—No, no lo es.

—Quiero decir —dijo Wendy, recordando que era la anfitriona—, ¿es eso lo que ponen en las cartas?

El deseó que no hubiera hablado de cartas.

—Yo no recibo cartas —dijo con desprecio.

—Pero tu madre recibirá cartas, ¿no?

—No tengo madre —dijo él. No sólo no tenía madre, sino que no sentía el menor deseo de tener una. Le parecía que eran unas personas a las que se les había dado una importancia exagerada. Sin embargo, Wendy sintió inmediatamente que se hallaba en presencia de una tragedia.

—Oh, Peter, no me extraña que estuvieras llorando —dijo y se levantó de la cama y corrió hasta él.

—No estaba llorando por cosa de madres —dijo él bastante indignado—. Estaba llorando porque no consigo que mi sombra se me quede pegada. Además, no estaba llorando.

—¿Se te ha despegado?

—Sí.

Entonces Wendy vio la sombra en el suelo, toda arrugada y se apenó muchísimo por Peter.

—¡Qué horror! —dijo, pero no pudo evitar sonreir cuando vio que había estado tratando de pegársela con jabón. ¡Qué típico de un chico!

Por fortuna ella supo al instante lo que había que hacer.

—Hay que coserla —dijo, con un ligero tono protector.

—¿Qué es coser? —preguntó él.

—Eres un ignorante.

—No, no lo soy.

Pero ella estaba encantada ante su ignorancia.

—Yo te la coseré, muchachito —dijo, aunque él era tan alto como ella y sacó su costurero y cosió la sombra al pie de Peter.

—Creo que te va a doler un poco —le advirtió.

—Oh, no lloraré —dijo Peter, que ya se creía que no había llorado en su vida. Y apretó los dientes y no lloró y al poco rato su sombra se portaba como es debido, aunque seguía un poco arrugada.

—Quizás debería haberla planchado —dijo Wendy pensativa, pero a Peter, chico al fin y al cabo, le daban igual las apariencias y estaba dando saltos loco de alegría. Por desgracia, ya se había olvidado de que debía su felicidad a Wendy. Creía que él mismo se había pegado la sombra.

—Pero qué hábil soy —se jactaba con entusiasmo—, ¡pero qué habilidad la mía!

Es humillante tener que confesar que este engreimiento de Peter era una de sus características más fascinantes. Para decirlo con toda franqueza, nunca hubo un chico más descarado.

Pero por el momento Wendy estaba escandalizada.

—Pero qué engreído —exclamó con tremendo sarcasmo—. ¡Y yo no he hecho nada, claro!

—Has hecho un poco —dijo Peter descuidadamente y siguió bailando.

—¡Un poco! —replicó ella con altivez—. Si no sirvo para nada al menos puedo retirarme.

Y se metió de un salto en la cama con toda dignidad y se tapó la cara con las mantas.

Para inducirla a mirar él fingió que se iba y al fallar esto se sentó en el extremo de la cama y le dio golpecitos con el pie.

—Wendy —dijo—, no te retires. No puedo evitar jactarme cuando estoy contento conmigo mismo, Wendy.

Pero ella seguía sin mirar, aunque estaba escuchando atentamente.

—Wendy —siguió él con una voz a la que ninguna mujer ha podido todavía resistirse—, Wendy, una chica vale más que veinte chicos.

Wendy era mujer por los cuatro costados, aunque no fueran costados muy grandes y atisbó fuera de las mantas.

—¿De verdad crees eso, Peter?

—Sí, de verdad.

—Pues me parece que es encantador por tu parte —afirmó ella—, y me voy a volver a levantar.

Y se sentó con él en el borde de la cama. También le dijo que le daría un beso si él quería, pero Peter no sabía a qué se refería y alargó la mano expectante.

—¿Pero no sabes lo que es un beso? —preguntó ella, horrorizada.

—Lo sabré cuando me lo des —replicó él muy estirado y para no herir sus sentimientos ella le dio un dedal.

—Y ahora —dijo él—, ¿te doy un beso yo?

Y ella replicó con cierto remilgo:

—Si lo deseas.

Perdió bastante dignidad al inclinar la cara hacia él, pero él se limitó a ponerle la caperuza de una bellota en la mano, de modo que ella movió la cara hasta su posición anterior y dijo amablemente que se colgaría el beso de la cadena que llevaba al cuello. Fue una suerte que lo pusiera en esa cadena, ya que más adelante le salvaría la vida.

Cuando las personas de nuestro entorno son presentadas, es costumbre que se pregunten la edad y por ello Wendy, a la que siempre le gustaba hacer las cosas correctamente, le preguntó a Peter cuántos años tenía. La verdad es que no era una pregunta que le sentara muy bien: era como un examen en el que se pregunta sobre gramática, cuando lo que uno quiere es que le pregunten los reyes de Inglaterra.

—No sé —replicó incómodo—, pero soy muy joven.

En realidad no tenía ni idea; sólo tenía sospechas, pero dijo a la ventura:

—Wendy, me escapé el día en que nací.

Wendy se quedó muy sorprendida, pero interesada y le indicó con los elegantes modales de salón, tocando ligeramente el camisón, que podía sentarse más cerca de ella.

—Fue porque oí a papá y mamá —explicó él en voz baja—, hablar sobre lo que iba a ser yo cuando fuera mayor.

Se puso nerviosísimo.

—No quiero ser mayor jamás —dijo con vehemencia—. Quiero ser siempre un niño y divertirme. Así que me escapé a los Jardines de Kensington y viví mucho, mucho tiempo entre las hadas.

Ella le echó una mirada de intensa admiración y él pensó que era porque se había escapado, pero en realidad era porque conocía a las hadas. Wendy había llevado una vida tan recluida que conocer hadas le parecía una maravilla. Hizo un torrente de preguntas sobre ellas, con sorpresa por parte de él, ya que le resultaban bastante molestas, porque lo estorbaban y cosas así y de hecho a veces tenía que darles algún cachete. Sin embargo, en general le gustaban y le contó el origen de las hadas.

—Mira, Wendy, cuando el primer bebé se rió por primera vez, su risa se rompió en mil pedazos y éstos se esparcieron y ése fue el origen de las hadas.

Era una conversación aburrida, pero a ella, que no conocía mucho mundo, le gustaba.

—Y así —siguió él afablemente—, debería haber un hada por cada niño y niña.

—¿Debería? ¿Es que no hay?

—No. Mira, los niños de hoy en día saben tantas cosas que dejan pronto de creer en las hadas y cada vez que un niño dice: «No creo en las hadas», algún hada cae muerta.

La verdad es que le parecía que ya habían hablado suficiente sobre las hadas y se dio cuenta de que Campanilla estaba muy silenciosa.

—No sé dónde se puede haber metido —dijo, levantándose y se puso a llamar a Campanilla. El corazón de Wendy se aceleró de la emoción.

—Peter —exclamó, aferrándolo—, ¡no me digas que hay un hada en esta habitación!

—Estaba aquí hace un momento —dijo él algo impaciente—. Tú no la oyes, ¿no?

Los dos aguzaron el oído.

—Lo único que oigo —dijo Wendy—, es como un tintineo de campanas.

—Pues ésa es Campanilla, ése es el lenguaje de las hadas. Me parece que yo también la oigo.

El sonido procedía de la cómoda y Peter puso cara de diversión. Nadie tenía un aire tan divertido como Peter y su risa era el más encantador de los gorjeos. Conservaba aún su primera risa.

—Wendy —susurró regocijado—, ¡creo que la he dejado encerrada en el cajón!

Dejó salir del cajón a la pobre Campanilla y ésta revoloteó por el cuarto chillando furiosa.

—No deberías decir esas cosas —contestó Peter—. Claro que lo siento mucho, ¿pero cómo iba a saber que estabas en el cajón?

Wendy no lo estaba escuchando.

—¡Oh, Peter! —exclamó—. ¡Ojalá se quedara quieta y me dejara verla!

—Casi nunca se quedan quietas —dijo él, pero durante un instante Wendy vio la romántica figurita posada en el reloj de cuco.

—¡Oh, qué bonita! —exclamó, aunque la cara de Campanilla estaba distorsionada por la rabia.

—Campanilla —dijo Peter amablemente—, esta dama dice que desearía que fueras su hada.

Campanilla contestó con insolencia.

—¿Qué dice, Peter?

No le quedó más remedio que traducir.

—No es muy cortés. Dice que eres una niña grande y fea y que ella es mi hada.

Trató de discutir con Campanilla.

—Tú sabes que no puedes ser mi hada, Campanilla, porque yo soy un caballero y tú eres una dama.

A esto Campanilla replicó de la siguiente manera:

—Cretino.

Y desapareció en el cuarto de baño.

—Es un hada bastante vulgar —explicó Peter disculpándose—, se llama Campanilla porque arregla las cacerolas y las teteras*.

Ahora estaban juntos en el sillón y Wendy siguió importunándolo con preguntas.

—Si ahora ya no vives en los Jardines de Kensington...

—Todavía vivo allí a veces.

—¿Pero dónde vives más ahora?

—Con los niños perdidos.

—¿Quiénes son ésos?

—Son los niños que se caen de sus cochecitos cuando la niñera no está mirando. Si al cabo de siete días nadie los reclama se los envía al País de Nunca Jamás para sufragar gastos. Yo soy su capitán.

—¡Qué divertido debe de ser!

—Sí —dijo el astuto Peter—, pero nos sentimos bastante solos. Es que no tenemos compañía femenina.

—¿Es que no hay niñas?

—Oh, no, ya sabes, las niñas son demasiado listas para caerse de sus cochecitos.

Esto halagó a Wendy enormemente.

—Creo —dijo—, que tienes una forma encantadora de hablar de las niñas; John nos desprecia.

Como respuesta Peter se levantó y de una patada, de una sola patada, tiró a John de la cama, con mantas y todo. Esto le pareció a Wendy bastante atrevido para un primer encuentro y le dijo con firmeza que en su casa él no era capitán. Sin embargo, John continuaba durmiendo tan plácidamente en el suelo que dejó que se quedara allí.

—Ya sé que querías ser amable —dijo, ablandándose—, así que me puedes dar un beso.

---

* Campanilla es el nombre adoptado tradicionalmente en español para esta hada, que en inglés se llama Tinker Bell = Campana de Calderero (N. de la T.)

Se había olvidado momentáneamente de que él no sabía lo que eran los besos.

—Ya me parecía que querrías que te lo devolviera —dijo él con cierta amargura e hizo ademán de devolverle el dedal.

—Ay, vaya —dijo la amable Wendy—, no quiero decir un beso, me refiero a un dedal.

—¿Qué es eso?

—Es como esto.

Le dio un beso.

—¡Qué curioso! —dijo Peter con seriedad—. ¿Te puedo dar un dedal yo ahora?

—Si lo deseas —dijo Wendy, esta vez sin inclinar la cabeza.

Peter le dio un dedal y casi inmediatamente ella soltó un chillido.

—¿Qué pasa, Wendy?

—Es como si alguien me hubiera tirado del pelo.

—Debe de haber sido Campanilla. Nunca la había visto tan antipática.

Y, efectivamente, Campanilla estaba revoloteando por ahí otra vez, empleando un lenguaje ofensivo.

—Wendy, dice que te lo volverá a hacer cada vez que yo te dé un dedal.

—¿Pero por qué?

—¿Por qué, Campanilla?

Campanilla volvió a replicar:

—Cretino.

Peter no entendía por qué, pero Wendy sí y se quedó un poquito desilusionada cuando él admitió que había venido a la ventana del cuarto de los niños no para verla a ella, sino para escuchar cuentos.

—Es que yo no sé ningún cuento. Ninguno de los niños perdidos sabe ningún cuento.

—Qué pena —dijo Wendy.

—¿Sabes —preguntó Peter—, por qué las golondrinas anidan en los aleros de las casas? Es para escuchar cuentos. Ay, Wendy, tu madre os estaba contando una historia preciosa.

—¿Qué historia era?

—La del príncipe que no podía encontrar a la dama que llevaba el zapatito de cristal.

—Peter —dijo Wendy emocionada—, ésa era Cenicienta y él la encontró y vivieron felices para siempre.

Peter se puso tan contento que se levantó del suelo, donde habían estado sentados y corrió a la ventana.

—¿Dónde vas? —exclamó ella alarmada.

—A decírselo a los demás chicos.

—No te vayas, Peter —le rogó ella—, me sé muchos cuentos.

Esas fueron sus palabras exactas, así que no hay forma de negar que fue ella la que lo tentó a él primero.

El regresó, con un brillo codicioso en los ojos que debería haberla puesto en guardia, pero no fue así.

—¡Qué historias podría contarles a los chicos! —exclamó y entonces Peter la agarró y comenzó a arrastrarla hacia la ventana.

—¡Suéltame! —le ordenó ella.

—Wendy, ven conmigo y cuéntaselo a los demás chicos.

Como es natural se sintió muy halagada de que se lo pidiera, pero dijo:

—Ay, no puedo. ¡Piensa en mamá! Además, no sé volar.

—Yo te enseñaré.

—Oh, qué maravilla poder volar.

—Te enseñaré a subirte a la ventana y luego, allá vamos.

—¡Oooh! —exclamó ella entusiasmada.

—Wendy, Wendy, cuando estás durmiendo en esa

estúpida cama podrías estar volando conmigo diciéndoles cosas graciosas a las estrellas .

—¡Oooh!

—Y, oye, Wendy, hay sirenas.

—¡Sirenas! ¿Con cola?

—Unas colas larguísimas.

—¡Oh! —exclamó Wendy—. ¡Qué maravilla ver una sirena!

El hablaba con enorme astucia.

—Wendy —dijo—, cuánto te respetaríamos todos.

Ella agitaba el cuerpo angustiada. Era como si intentara seguir sobre el suelo del cuarto.

Pero él no se apiadaba de ella.

—Wendy —dijo, el muy taimado—, nos podrías arropar por la noche.

—¡Oooh!

—A ninguno de nosotros nos han arropado jamás por la noche.

—¡Oooh! —y le tendió los brazos.

—Y podrías remendarnos la ropa y hacernos bolsillos. Ninguno de nosotros tiene bolsillos.

¿Cómo podía resistirse?

—¡Ya lo creo que sería absolutamente fascinante! —exclamó—. Peter, ¿enseñarías a volar a John y a Michael también?

—Si quieres —dijo él con indiferencia y ella corrió hasta John y Michael y los sacudió.

—Despertad —gritó—, ha venido Peter Pan y nos va a enseñar a volar.

John se frotó los ojos.

—Entonces me levantaré —dijo. Claro, que ya estaba en el suelo.

—Caramba —dijo—. ¡Si ya estoy levantado!

Michael también se había levantado ya, completamente despabilado, pero de pronto Peter hizo señas de que guardaran silencio. Sus caras adquirieron la tremenda astucia de los niños cuando escuchan por si oyen ruidos del mundo de los mayores. No se oía ni una mosca. Así pues, todo iba bien. ¡No, quietos! Todo iba mal. Nana, que había estado ladrando con inquietud toda la noche, estaba ahora callada. Era su silencio lo que habían oído.

—¡Apagad la luz! ¡Escondeos! ¡Deprisa! —exclamó John, tomando el mando por única vez en el curso de toda la aventura. Y así, cuando entró Liza, sujetando a Nana, el cuarto de los niños parecía el mismo de siempre, muy oscuro y se podría haber jurado que se oía a sus tres traviesos ocupantes respirando angelicalmente mientras dormían. En realidad lo estaban haciendo engañosamente desde detrás de las cortinas.

Liza estaba de mal humor, porque estaba haciendo la masa del «pudding» de Navidad en la cocina y se había visto obligada a abandonarlo, con una pasa todavía en la mejilla, por culpa de las absurdas sospechas de Nana. Pensó que la mejor forma de conseguir un poco de paz era llevar a Nana un momento al cuarto de los niños, pero bajo custodia, por supuesto.

—Ahí tienes, animal desconfiado —dijo, sin lamentar que Nana quedara desacreditada—, están perfectamente a salvo, ¿no? Cada angelito dormido en su cama. Escucha con qué suavidad respiran.

Entonces, Michael, envalentonado por su éxito, respiró tan fuerte que casi los descubren. Nana conocía ese tipo de respiración y trató de soltarse de las garras de Liza.

Pero Liza era dura de mollera.

—Basta ya, Nana —dijo con severidad, arrastrándola fuera de la habitación—. Te advierto que si vuelves a ladrar iré a buscar a los señores y los traeré a casa sacándolos de la fiesta y entonces, menuda paliza te va a dar el señor, ya verás.

Volvió a atar a la desdichada perra, ¿pero creéis que

Nana dejó de ladrar? ¡Traer de la fiesta a los señores! Pero si eso era lo que quería exactamente. ¿Creéis que le importaba que le pegaran mientras sus tutelados estuvieran a salvo? Por desgracia Liza volvió a su «pudding» y Nana, viendo que no podía esperar ninguna ayuda de ella, tiró y tiró de la cuerda hasta que por fin la rompió. A los pocos instantes entraba corriendo en el comedor del número 27 y levantaba las patas, la forma más expresiva que tenía de dar un mensaje. El señor y la señora Darling supieron de inmediato que algo horrible sucedía en el cuarto de sus niños y sin despedirse de su anfitriona salieron a la calle.

Pero habían pasado diez minutos desde que los tres pillastres habían estado respirando detrás de las cortinas y Peter Pan puede hacer muchas cosas en diez minutos.

Volvamos ahora al cuarto de los niños.

—Todo en orden —anunció John, saliendo de su escondite—. Oye, Peter, ¿de verdad sabes volar?

En vez de molestarse en contestarle Peter voló por la habitación posándose al pasar en la repisa de la chimenea.

—¡Estupendo! —dijeron John y Michael.

—¡Encantador! —exclamó Wendy.

—¡Sí, soy encantador, pero qué encantador soy! —dijo Peter, olvidando los modales de nuevo.

Parecía maravillosamente fácil y lo intentaron primero desde el suelo y luego desde las camas, pero siempre iban hacia abajo en vez de hacia arriba.

—Oye, ¿cómo lo haces? —preguntó John, frotándose la rodilla. Era un chico muy práctico.

—Te imaginas cosas estupendas —explicó Peter—, y ellas te levantan por los aires.

Se lo volvió a demostrar.

—Lo haces muy rápido —dijo John—, ¿no podrías hacerlo una vez muy despacio?

Peter lo hizo despacio y deprisa.

—¡Ya lo tengo, Wendy! —exclamó John, pero pronto descubrió que no era así. Ninguno de ellos conseguía elevarse ni una pulgada, aunque incluso Michael dominaba ya las palabras de dos sílabas, mientras que Peter no sabía ni hacer la O con un canuto.

Claro, que Peter les había estado tomando el pelo, pues nadie puede volar a menos que haya recibido el polvillo de las hadas. Por suerte, como ya hemos dicho, tenía una mano llena de él y se lo echó soplando a cada uno de ellos, con un resultado magnífico.

—Ahora agitad los hombros así —dijo—, y lanzaos.

Estaban todos subidos a las camas y el valiente Michael se lanzó el primero. No tenía realmente intención de lanzarse, pero lo hizo e inmediatamente cruzó flotando la habitación.

—¡He volado! —chilló cuando aún estaba en el aire.

John se lanzó y se topó con Wendy cerca del cuarto de baño.

—¡Maravilloso!

—¡Estupendo!

—¡Miradme!

—¡Miradme!

—¡Miradme!

No tenían ni la mitad de elegancia que Peter, no podían evitar agitar las piernas un poco, pero sus cabezas tocaban el techo y no existe casi nada tan maravilloso como eso. Peter le dio la mano a Wendy al principio, pero tuvo que desistir, porque Campanilla se puso furiosa.

Arriba y abajo, vueltas y más vueltas. Divino era el calificativo de Wendy.

—Oye —exclamó John—, ¡¿por qué no salimos fuera?!

Por supuesto, era a esto a lo que Peter los había estado empujando.

Michael estaba dispuesto: quería ver cuánto tardaba en hacer un billón de millas. Pero Wendy vacilaba.

—¡Sirenas! —repitió Peter.

—¡Oooh!

—Y hay piratas.

—Piratas —exclamó John, cogiendo su sombrero de los domingos—. Vámonos ahora mismo.

Justo en ese momento el señor y la señora Darling salían corriendo con Nana del número 27. Corrieron hasta el centro de la calle para mirar hacia la ventana del cuarto de los niños y, sí, seguía cerrada, pero la habitación estaba inundada de luz y, lo que era aún más estremecedor, en la sombra de la cortina vieron tres pequeñas siluetas en ropa de cama que daban vueltas y vueltas, pero no en el suelo, sino por el aire.

¡Tres siluetas no, cuatro!

Temblando, abrieron la puerta de la calle. El señor Darling se habría lanzado escaleras arriba, pero la señora Darling le indicó que fuera con más calma. Incluso trató de conseguir que su corazón se calmara.

¿Llegarán a tiempo al cuarto de los niños? Si es así, qué alegría para ellos y todos soltaremos un suspiro de alivio, pero no habrá historia. Por otra parte, si no llegan a tiempo, prometo solemnemente que todo saldrá bien al final.

Habrían llegado al cuarto de los niños a tiempo de no haber estado vigilándolos las estrellitas. Una vez más las estrellas abrieron la ventana de un soplo y la estrella más pequeña de todas gritó:

—¡Ojo, Peter!

Entonces Peter supo que no había tiempo que perder.

—Vamos —gritó imperiosamente y se elevó al momento en la noche seguido de John, Michael y Wendy.

El señor y la señora Darling y Nana se precipitaron en el cuarto de los niños demasiado tarde. Los pájaros habían volado.

—La segunda a la derecha y todo recto hasta la mañana.

Ese, según le había dicho Peter a Wendy, era el camino hasta el País de Nunca Jamás, pero ni siquiera los pájaros, contando con mapas y consultándolos en las esquinas expuestas al viento, podrían haberlo avistado siguiendo estas instrucciones. Es que Peter decía lo primero que se le ocurría.

Al principio sus compañeros confiaban en él sin reservas y eran tan grandes los placeres de volar que perdían el tiempo girando alrededor de las agujas de las iglesias o de cualquier otra cosa elevada que se encontraran en el camino y les gustara.

John y Michael se echaban carreras, Michael con ventaja.

Recordaban con desprecio que no hacía tanto que se habían creído muy importantes por poder volar por una habitación.

No hacía tanto. ¿Pero cuánto realmente? Estaban volando por encima del mar antes de que esta idea empezara a preocupar a Wendy seriamente. A John le parecía que iban ya por su segundo mar y su tercera noche.

A veces estaba oscuro y a veces había luz y de pronto tenían mucho frío y luego demasiado calor. ¿Sentían hambre a veces realmente, o sólo lo fingían porque Peter tenía una forma tan divertida y novedosa de alimentarlos? Esta forma era perseguir pájaros que llevaran comida en el pico adecuada para los humanos y arrebatársela; entonces los pájaros los seguían y se la volvían a quitar y todos se iban persiguiendo alegremente durante millas, separándose por fin y expresándose mutuamente sus buenos deseos. Pero Wendy se percató con cierta preocupación de que Peter no parecía saber que ésta era una forma bastante rara de conseguir el pan de cada día, ni siquiera que había otras formas.

Ciertamente no fingían tener sueño, lo tenían y eso era peligroso, porque en el momento en que se dormían, empezaban a caer. Lo espantoso era que a Peter eso le parecía divertido.

—¡Allá va otra vez! —gritaba regocijado, cuando Michael caía de pronto como una piedra.

—¡Sálvalo, sálvalo! —gritaba Wendy, mirando horrorizada el cruel océano que tenían debajo. Por fin Peter se lanzaba por el aire y atrapaba a Michael justo antes de que se estrellara en el mar y lo hacía de una manera muy bonita, pero siempre esperaba hasta el último momento y parecía que era su habilidad lo que le interesaba y no salvar una vida humana. También le gustaba la variedad y lo que en un momento dado lo absorbía de pronto dejaba de atraerlo, de modo que siempre existía la posibilidad de que la próxima vez que uno cayera él lo dejara hundirse.

El podía dormir en el aire sin caerse, por el simple método de tumbarse boca arriba y flotar, pero esto era, al menos en parte, porque era tan ligero que si uno se ponía detrás de él y soplaba iba más rápido.

—Se más educado con él —le susurró Wendy a John, cuando estaban jugando al «Sígueme».

—Pues dile que deje de presumir —dijo John.

Cuando jugaban al Sígueme, Peter volaba pegado al agua y tocaba la cola de cada tiburón al pasar, igual que en la calle podéis seguir con el dedo una barandilla de hierro. Ellos no podían seguirlo en esto con excesivo éxito, de forma que quizás sí que fuera presumir, especialmente porque no hacía más que volverse para ver cuántas colas se le escapaban.

—Debéis ser amables con él —les inculcó Wendy a sus hermanos—. ¿Qué haríamos si nos abandonara?

—Podríamos volver —dijo Michael.

—¿Y cómo lograríamos encontrar el camino de vuelta sin él?

—Bueno, pues entonces podríamos seguir —dijo John.

—Eso es lo horrible, John. Tendríamos que seguir, porque no sabemos cómo parar.

Era cierto: Peter se había olvidado de enseñarles a parar.

John dijo que si pasaba lo peor, todo lo que tenían que hacer era seguir adelante, ya que el mundo era redondo, de forma que acabarían por volver a su propia ventana.

—¿Y quién nos va a conseguir comida, John?

—Yo le saqué del pico un trocito a ese águila bastante bien, Wendy.

—Después de veinte intentos —le recordó Wendy—. Y aunque se nos llegara a dar bien la cuestión de conseguir comida, fijaos cómo nos chocamos con las nubes y otras cosas si él no está cerca para echarnos una mano.

Efectivamente, se iban chocando todo el tiempo. Ya podían volar con fuerza, aunque seguían moviendo demasiado las piernas, pero si veían una nube delante

cuanto más intentaban esquivarla, más certeramente se chocaban contra ella. Si Nana hubiera estado con ellos ya le habría puesto a Michael una venda en la frente.

Peter no estaba con ellos en ese momento y se sentían bastante desamparados allí arriba por su cuenta. Podía volar a una velocidad tan superior a la de ellos que de pronto salía disparado y se perdía de vista, para correr alguna aventura en la que ellos no participaban. Bajaba riéndose por algo divertidísimo que le había estado contando a una estrella, pero que ya había olvidado, o subía cubierto aún de escamas de sirena y sin embargo no sabía con seguridad qué había ocurrido. La verdad es que resultaba muy fastidioso para unos niños que nunca habían visto una sirena.

—Y si se olvida de ellas tan deprisa —razonaba Wendy—, ¿cómo vamos a esperar que se siga acordando de nosotros?

Efectivamente, a veces cuando regresaba no se acordaba de ellos, por lo menos no muy bien. Wendy estaba segura de ello. Veía cómo le brillaban los ojos al reconocerlos cuando estaba a punto de pararse a charlar un momento para luego seguir; en una ocasión incluso tuvo que decirle cómo se llamaba.

—Soy Wendy —dijo muy inquieta.

El se sintió muy contrito.

—Oye, Wendy —le susurró—, siempre que veas que me olvido de ti, repite todo el rato «Soy Wendy» y entonces me acordaré.

Como es lógico, aquello no era nada satisfactorio. Sin embargo, para enmendarlo les enseñó a tumbarse estirados sobre un viento fuerte que soplara en su dirección y esto supuso un cambio tan agradable que lo probaron varias veces y descubrieron que así podían dormir a salvo. Realmente habrían dormido más tiempo, pero Peter se

aburría rápidamente de dormir y no tardaba en gritar con
su voz de capitán:

—Aquí nos desviamos.

De modo que con algún que otro disgusto, pero en
general con gran diversión, se fueron acercando al País de
Nunca Jamás, pues al cabo de muchas lunas llegaron allí
y, lo que es más, resulta que habían estado viajando sin
desviarse todo el tiempo, quizás no tanto debido a la
dirección de Peter o de Campanilla como a que la isla los
estaba buscando. Sólo así se pueden avistar esas mágicas
orillas.

—Ahí está —dijo Peter tranquilamente.

—¿Dónde, dónde?

—Donde señalan todas las flechas.

En efecto, un millón de flechas doradas, enviadas por
su amigo el sol, que quería que estuvieran seguros del
camino antes de dejarlos por esa noche, indicaba a los
niños dónde se hallaba la isla.

Wendy, John y Michael se pusieron de puntillas en el
aire para echar su primer vistazo a la isla. Es extraño, pero
todos la reconocieron al instante y mientras no los invadió el miedo la estuvieron saludando no como a algo con
lo que se ha soñado mucho tiempo y por fin se ha visto,
sino como a una vieja amiga con quien volvían para pasar
las vacaciones.

—John, ahí está la laguna.

—Wendy, mira a las tortugas enterrando sus huevos en
la arena.

—Oye, John, veo a tu flamenco de la pata rota.

—Mira, Michael, allí está tu cueva.

—John, ¿qué es eso que hay en la maleza?

—Es una loba con sus cachorros. Wendy, estoy seguro
de que ése es tu lobezno.

—Ahí está mi barca, John, con los costados llenos de
agujeros.

—No, no lo es. Pero si quemamos tu barca.

—Pues de todas formas lo es. Oye, John, veo el humo del campamento piel roja.

—¿Dónde? Enséñamelo y te diré por cómo se retuerce el humo si están en el sendero de la guerra.

—Allí, justo al otro lado del Río Misterioso.

—Ya lo veo. Sí, ya lo creo que están en el sendero de la guerra.

Peter estaba un poco molesto con ellos por saber tantas cosas, pero si quería hacerse el amo de la situación su triunfo estaba al caer, pues ¿no os he dicho que no tardó en invadirlos el miedo?

Llegó cuando se fueron las flechas, dejando la isla en penumbra.

Antes, en casa, el País de Nunca Jamás siempre empezaba a tener un aire un poco oscuro y amenazador a la hora de irse a la cama. Entonces surgían zonas inexploradas que se extendían, en ellas se movían sombras negras, el rugido de los animales de presa era muy distinto entonces y, sobre todo, uno perdía la seguridad de que iba a ganar. Uno se alegraba mucho de que las lamparillas estuvieran encendidas. Era incluso agradable que Nana dijera que eso de ahí no era más que la repisa de la chimenea y que el País de Nunca Jamás era todo imaginación.

Por supuesto que el País de Nunca Jamás había sido una fantasía en aquellos días, pero ahora era real y no había lamparillas y cada vez estaba más oscuro y ¿dónde estaba Nana?

Habían estado volando separados unos de otros, pero ahora se apiñaron junto a Peter. El comportamiento descuidado de éste había desaparecido por fin, le brillaban los ojos, les entraba un hormigueo cada vez que tocaban su cuerpo. Ya estaban encima de la temible isla, volando tan bajo que a veces un árbol les rozaba la cara.

No se veía nada horrendo en el aire, pero su marcha se había hecho lenta y penosa, igual que si estuvieran abriéndose paso a través de unas fuerzas hostiles. A veces se quedaban inmóviles en el aire hasta que Peter lo golpeaba con los puños.

—No quieren que bajemos —les explicó.

—¿Quiénes? —susurró Wendy, estremeciéndose.

Pero él no lo sabía o no lo quería decir. Campanilla había estado durmiendo en su hombro, pero ahora la despertó y le hizo ponerse en vanguardia.

De vez encuando se paraba en el aire, escuchando atentamente con una mano en la oreja y volvía a mirar hacia abajo con los ojos tan brillantes que parecían horadar dos agujeros en la tierra. Una vez hecho esto, seguía adelante de nuevo.

Su valor casi producía espanto.

—¿Queréis correr una aventura ahora —le preguntó a John muy tranquilo—, o preferís tomar el té primero?

Wendy dijo «el té primero» apresuradamente y Michael le apretó la mano agradecido, pero John, más valiente, titubeaba.

—¿Qué clase de aventura? —preguntó con cautela.

—Tenemos un pirata dormido en la pampa justo debajo de nosotros —le dijo Peter—. Si quieres, bajamos y lo matamos.

—No lo veo —dijo John tras una larga pausa.

—Yo sí.

—Imagínate que se despierta —dijo John con la voz algo ronca.

Peter exclamó indignado:

—¡No pensarás que lo iba a matar dormido! Primero lo despertaría y luego lo mataría. Es lo que siempre hago.

—¡Caramba! ¿Y matas muchos?

—Miles.

John dijo «estupendo», pero decidió tomar el té primero. Preguntó si había muchos piratas en la isla en esos momentos y Peter dijo que nunca había visto tantos.

—¿Quién es su capitán ahora?

—Garfio —contestó Peter y se le nubló la cara al pronunciar ese odiado nombre.

—¿Jas. Garfio?*

—Sí.

Entonces Michael se echó a llorar e incluso John sólo pudo hablar a trompicones, pues conocían la reputación de Garfio.

—Era el contramaestre de Barbanegra —susurró John roncamente—. Es el peor de todos ellos. Es el único hombre al que temía Barbacoa.

—Ese es —dijo Peter.

—¿Cómo es? ¿Es grande?

—No tanto como antes.

—¿Qué quieres decir?

—Le corté un pedazo.

—¡Tú!

—Sí, yo —dijo Peter con aspereza.

—No pretendía faltarte al respeto.

—Bueno, está bien.

—Pero, oye, ¿qué trozo?

—La mano derecha.

—¿Entonces ya no puede luchar?

—¡Vaya si puede!

—¿Es zurdo?

—Tiene un garfio de hierro en vez de la mano derecha y desgarra con él.

—¡Desgarra!

---

* *Jas.* = abreviatura de *James*. Hemos seguido la tradición española de llamar al pirata Garfio, traduciendo su apellido: se podría decir que el capitán James Hook estaba predestinado a llevar un *hook* = garfio (N. de la T.)

—Oye, John —dijo Peter.

—Sí.

—Di «Sí, señor».

—Sí, señor.

—Hay algo —continuó Peter—, que cada chico que está a mis órdenes tuvo que prometer y tú también debes hacerlo.

John se puso pálido.

—Es lo siguiente: si nos encontramos con Garfio en combate, me lo debes dejar a mí.

—Lo prometo —dijo John lealmente.

Por el momento se sentían menos aterrados, porque Campanilla estaba volando con ellos y con su luz podían verse los unos a los otros. Por desgracia no podía volar tan despacio como ellos y por eso tenía que ir dando vueltas y vueltas formando un círculo dentro del cual se movían como en un halo. A Wendy le gustaba mucho, hasta que Peter le señaló el inconveniente.

—Me dice —dijo—, que los piratas nos avistaron antes de que se pusiera oscuro y han sacado a Tom el Largo.

—¿El cañón grande?

—Sí. Y, por supuesto, deben de ver su luz y si se imaginan que estamos cerca seguro que abren fuego.

—¡Wendy!

—¡John!

—¡Michael!

—Dile que se vaya ahora mismo, Peter —exclamaron los tres al mismo tiempo, pero él se negó.

—Cree que nos hemos perdido —replicó fríamente—, y está bastante asustada. ¡No esperaréis que le diga que se vaya sola cuando tiene miedo!

El círculo de luz se rompió momentáneamente y algo le dio a Peter un pellizquito cariñoso.

—Entonces dile —rogó Wendy—, que apague la luz.

—No puede apagarla. Eso es prácticamente lo único

que no pueden hacer las hadas. Se apaga sola cuando ella se duerme, igual que las estrellas.

—Entonces dile que se duerma inmediatamente —casi le ordenó John.

—No puede dormir más que cuando tiene sueño. Es la única otra cosa que no pueden hacer las hadas.

—Pues me parece —gruñó John—, que son las dos únicas cosas que vale la pena hacer.

Entonces se llevó un pellizco, pero no cariñoso.

—Si al menos uno de nosotros tuviera un bolsillo —dijo Peter— la podríamos llevar en él.

Sin embargo, habían salido con tantas prisas que ninguno de los cuatro tenía un solo bolsillo.

Se le ocurrió una buena idea. ¡El sombrero de John!

Campanilla aceptó viajar en sombrero si lo llevaban en la mano. John se hizo cargo de ello, aunque ella había tenido la esperanza de que la llevara Peter. Al poco rato Wendy cogió el sombrero, porque John decía que le daba golpes en la rodilla al volar y esto, como veremos, trajo dificultades, pues a Campanilla no le gustaba nada deberle un favor a Wendy.

En la negra chistera la luz quedaba completamente oculta y siguieron volando en silencio. Era el silencio más absoluto que habían conocido jamás, roto sólo por unos lametones lejanos, que según explicó Peter lo producían los animales salvajes al beber en el vado y también por un ruido rasposo que podrían haber sido las ramas de los árboles al rozarse, pero él dijo que eran los pieles rojas que afilaban sus cuchillos.

Incluso estos ruidos acabaron por apagarse. A Michael la soledad le resultaba espantosa.

—¡Ojalá se oyera algún ruido! —exclamó.

Como en respuesta a su petición, el aire fue hendido por la explosión más tremenda que había oído en su vida. Los piratas les habían disparado con Tom el Largo.

El rugido resonó por las montañas y los ecos parecían gritar salvajemente:

—¿Dónde están, dónde están, dónde están?

De esta forma tan violenta descubrió el aterrorizado trío la diferencia entre una isla inventada y la misma isla hecha realidad.

Cuando por fin los cielos volvieron a quedar en calma, John y Michael se encontraron solos en la oscuridad. John caminaba en el aire mecánicamente y Michael, sin saber cómo flotar, estaba flotando.

—¿Te han dado? —susurró John temblorosamente.

—Todavía no lo he comprobado —susurró a su vez Michael.

Ahora sabemos que ninguno fue alcanzado. Sin embargo, Peter fue arrastrado por el viento del disparo hasta alta mar, mientras que Wendy fue lanzada hacia arriba sin otra compañía que la de Campanilla.

Las cosas le habrían ido bien a Wendy si en ese momento hubiera soltado el sombrero.

No sé si la idea se le ocurrió a Campanilla de repente, o si lo había planeado por el camino, pero el caso es que inmediatamente salió del sombrero y se puso a atraer a Wendy hacia su destrucción.

Campanilla no era toda maldad: o, más bien, era toda maldad en ese momento, pero, por otro lado, a veces era toda bondad. Las hadas tienen que ser una cosa o la otra, porque al ser tan pequeñas desgraciadamente sólo tienen sitio para un sentimiento por vez. No obstante, les está permitido cambiar, aunque debe ser un cambio total. Por el momento estaba celosísima de Wendy. Por supuesto, Wendy no entendía lo que le decía con su precioso tintineo y estoy convencido de que parte eran palabrotas, pero sonaba agradable y volaba hacia delante y hacia atrás, queriendo decir claramente: «Sígueme y todo saldrá bien.»

¿Qué otra cosa podía hacer la pobre Wendy? Llamó a Peter, a John y a Michael y lo único que obtuvo como respuesta fueron ecos burlones. Aún no sabía que Campanilla la odiaba con el odio feroz de una auténtica mujer. Y por eso, aturdida y volando ahora a trompicones, siguió a Campanilla hacia su perdición.

5. La isla hecha realidad.

Al sentir que Peter regresaba, el País de Nunca Jamás
revivió de nuevo. Deberíamos emplear el pluscuamper-
fecto y decir que había revivido, pero revivió suena mejor
y era lo que siempre empleaba Peter.

Normalmente durante su ausencia las cosas están tran-
quilas. Las hadas duermen una hora más por la mañana,
los animales se ocupan de sus crías, los pieles rojas se
hartan de comer durante seis días con sus noches y
cuando los piratas y los niños perdidos se encuentran se
limitan a sacarse la lengua. Pero con la llegada de Peter,
que aborrece el letargo, todos se ponen en marcha otra
vez: si entonces pusiérais la oreja contra el suelo, oiríais
cómo la isla bulle de vida.

Esta noche, las fuerzas principales de la isla estaban
ocupadas de la siguiente manera. Los niños perdidos
estaban buscando a Peter, los piratas estaban buscando a
los niños perdidos, los pieles rojas rojas estaban buscando
a los piratas y los animales estaban buscando a los pieles

rojas. Iban dando vueltas y más vueltas por la isla, pero no se encontraban porque todos llevaban el mismo paso.

Todos querían sangre salvo los niños, a quienes les gustaba por lo general, pero esta noche iban a recibir a su capitán. Los niños de la isla varían, claro está, en número, según los vayan matando y cosas así y cuando parece que están creciendo, lo cual va en contra de las reglas, Peter los reduce, pero en esta ocasión había seis, contando a los Gemelos como si fueran dos. Hagamos como si nos echáramos aquí entre las cañas de azúcar y observémoslos mientras pasan sigilosamente en fila india, cada uno con la mano sobre su cuchillo.

Peter les tiene prohibido que se parezcan a él en lo más mínimo y van vestidos con pieles de osos cazados por ellos mismos, con las que quedan tan redondeados y peludos que cuando se caen, ruedan. Por ello han conseguido llegar a andar con un paso muy firme.

El primero en pasar es Lelo, no el menos valiente, pero sí el más desgraciado de toda esa intrépida banda. Había corrido menos aventuras que cualquiera de los demás, porque las cosas importantes ocurrían siempre justo cuando él ya había doblado la esquina: por ejemplo, todo estaba tranquilo y entonces él aprovechaba la oportunidad para alejarse y reunir unos palos para el fuego y cuando volvía los demás ya estaban limpiando la sangre. La mala suerte había dado una expresión de suave melancolía a su rostro, pero en lugar de agriarle el carácter se lo había endulzado, de forma que era el más humilde de los chicos. Pobre y bondadoso Lelo, esta noche te amenaza un peligro. Ten cuidado, no vaya a ser que se te ofrezca ahora una aventura, que, si la aceptas, te traiga un terrible infortunio. Lelo, el hada Campanilla, que esta noche está resuelta a provocar daños, está buscando un instrumento y piensa que tú eres el chico que más fácilmente se deja engañar. Cuidado con Campanilla.

Ojalá nos pudiera oir, pero nosotros no estamos realmente en la isla y él pasa de largo, mordisqueándose los nudillos.

A continuación viene Avispado, alegre y jovial, seguido de Presuntuoso, que corta silbatos de los árboles y baila entusiasmado al son de sus propias melodías. Presuntuoso es el más engreído de los chicos. Se cree que recuerda los tiempos de antes de que se perdiera, con sus modales y costumbres y esto hace que mire a todo el mundo por encima del hombro. Rizos es el cuarto: es un pillo y ha tenido que entregarse tantas veces cuando Peter decía con severidad: «El que haya hecho esto que dé un paso al frente», que ahora ante la orden da un paso al frente automáticamente, lo haya hecho él o no. Los últimos son los Gemelos, a quienes no se puede describir porque seguro que describiríamos al que no es. Peter no sabía muy bien lo que eran gemelos y a su banda no se le permitía saber nada que él no supiera, de forma que estos dos no eran nunca muy claros al hablar de sí mismos y hacían todo lo que podían por resultar satisfactorios manteniéndose muy juntos como pidiendo perdón.

Los chicos desaparecen en la oscuridad y al cabo de un rato, pero no muy largo, ya que las cosas ocurren deprisa en la isla, aparecen los piratas siguiendo su rastro. Los oímos antes de verlos y siempre es la misma canción terrible:

—Jalad, izad, pongámonos al pairo,
        Al abordaje saltemos
        Y si un tiro nos separa,
        ¡Allá abajo nos veremos!

Jamás colgó en hilera en el Muelle de las Ejecuciones*

---

* Muelle de Wapping donde eran ejecutados los marinos criminales (N. de la T.)

una banda de aire más malvado. Aquí, algo adelantado, inclinando la cabeza hacia el suelo una y otra vez para escuchar, con los grandes brazos desnudos y las orejas adornadas con monedas de cobre, llega el guapo italiano Cecco, que grabó su nombre con letras de sangre en la espalda del alcaide de la prisión de Gao. Ese negro gigantesco que va detrás de él ha tenido muchos nombres desde que dejara ése con el que las madres morenas siguen aterrorizando a sus hijos en las riberas del Guidjo-mo. He aquí a Bill Jukes, tatuado de arriba a abajo, el mismo Bill Jukes al que Flint, a bordo del *Walrus,* propinara seis docenas de latigazos antes de que aquél soltara la bolsa de moidores*; y Cookson, de quien se dice que era hermano de Murphy el Negro (aunque esto nunca se probó); y el Caballero Starkey, en otros tiempos portero de un colegio privado y todavía elegante a la hora de matar; y Claraboyas (Claraboyas de Morgan); y Smee, el contramaestre irlandés, un hombre curiosamente afable que acuchillaba, como si dijéramos, sin ofender y era el único disidente** de la tripulación de Garfio; y Noodler, cuyas manos estaban colocadas al revés; y Robert Mullins y Alf Mason y muchos otros rufianes bien conocidos y temidos en el Caribe.

En medio de ellos, la joya más negra y más grande de aquel siniestro puñado, iba reclinado James Garfio, o, según lo escribía él, Jas. Garfio, del cual se dice que era el único hombre a quien el Cocinero*** temía. Estaba cómodamente echado en un tosco carruaje tirado y em-

---

* Moidore = antigua moneda de oro portuguesa (N. de la T.)
** Disidente = miembro de la religión protestante opuesto a los criterios de la Iglesia Establecida de Inglaterra (N. de la T.)
*** Cocinero: es el mismo Barbacoa mencionado más arriba. Posiblemente, ambos nombres se refieren a John Silver el Largo, el famoso pirata de *La isla del tesoro,* de R. L. Stevenson (N. de la T.)

pujado por sus hombres y en lugar de mano derecha tenía el garfio de hierro con el que de vez en cuando los animaba a apretar el paso. Como a perros los trataba y les hablaba este hombre terrible y como perros lo obedecían ellos. De aspecto era cadavérico y cetrino y llevaba el pelo en largos bucles, que a cierta distancia parecían velas negras y daban un aire singularmente amenazador a su amplio rostro. Sus ojos eran del azul del nomeolvides y profundamente tristes, salvo cuando le clavaba a uno el garfio, momento en que surgían en ellos dos puntos rojos que se los iluminaban horriblemente. En cuanto a los modales, conservaba aún algo de gran señor, de forma que incluso lo destrozaba a uno con distinción y me han dicho que tenía reputación de *raconteur*. Nunca resultaba más siniestro que cuando se mostraba todo cortés, lo cual es probablemente la mejor prueba de educación y la elegancia de su dicción, incluso cuando maldecía, así como la prestancia de su porte, demostraban que no era de la misma clase que su tripulación. Hombre de valor indómito, se decía de él que lo único que lo atemorizaba era ver su propia sangre, que era espesa y de un color insólito. En su vestimenta imitaba un poco los ropajes asociados al nombre de Carlos II, por haber oído decir en un período anterior de su carrera que tenía un extraño parecido con los desventurados Estuardo y en los labios llevaba una boquilla de su propia invención que le permitía fumar dos cigarros a la vez. Pero indudablemente la parte más macabra de él era su garfio de hierro.

Matemos ahora a un pirata, para mostrar el método de Garfio. Claraboyas servirá. Al pasar, Claraboyas da un torpe bandazo contra él, descolocándole el cuello de encaje: el garfio sale disparado, se oye un desgarrón y un chillido, luego se aparta el cuerpo de una patada y los piratas siguen adelante. Ni siquiera se ha quitado los cigarros de la boca.

Así es el hombre terrible al que se enfrenta Peter Pan.
¿Quién ganará?

Tras los pasos de los piratas, deslizándose en silencio
por el sendero de la guerra, que no es visible para ojos
inexpertos, llegan los pieles rojas, todos ellos ojo avizor.
Llevan tomahawks y cuchillos y sus cuerpos desnudos
relucen de pintura y aceite. Atadas a la cintura llevan
cabelleras, tanto de niños como de piratas, ya que son la
tribu piccaninny y no hay que confundirlos con los
delawares o los hurones, más compasivos. En vanguardia,
a cuatro patas, va Gran Pantera Pequeña, un valiente con
tantas cabelleras que en su postura actual le impiden un
poco avanzar. En retaguardia, el puesto de mayor peligro,
va Tigridia, orgullosamente erguida, princesa por derecho
propio. Es la más hermosa de las Dianas morenas y la
beldad de los piccaninnis, coqueta, fría y enamoradiza
por turnos: no hay un solo valiente que no quisiera a la
caprichosa por mujer, pero ella mantiene a raya el altar
con un hacha. Mirad cómo pasan por encima de ramitas
secas sin hacer el más mínimo ruido. Lo único que se oye
es su respiración algo jadeante. La verdad es que en estos
momentos están todos un poco gordos después de las
comilonas, pero ya perderán peso a su debido tiempo.
Por ahora, sin embargo, esto constituye su mayor peligro.

Los pieles rojas desaparecen como han llegado, como
sombras y pronto ocupan su lugar los animales, una
procesión grande y variada: leones, tigres, osos y las
innumerables criaturas salvajes más pequeñas que huyen
de ellos, ya que todas las clases de animales y, en particular, los devoradores de hombres, viven codo con codo en
la afortunada isla. Llevan la lengua fuera, esta noche
tienen hambre.

Cuando ya han pasado, llega el último personaje de
todos, un gigantesco cocodrilo. No tardaremos en descubrir a quién está buscando.

El cocodrilo pasa, pero pronto vuelven a aparecer los chicos, ya que el desfile debe continuar indefinidamente hasta que uno de los grupos se pare o cambie el paso. Entonces todos se echarán rápidamente unos encima de otros.

Todos vigilan atentamente el frente, pero ninguno sospecha que el peligro pueda acercarse sigilosamente por detrás. Esto demuestra lo real que era la isla.

Los primeros en romper el círculo móvil fueron los chicos. Se tiraron sobre el césped, junto a su casa subterránea.

—Ojalá volviera Peter —decía cada uno de ellos con nerviosismo, aunque en altura y aún más en anchura eran todos más grandes que su capitán.

—Yo soy el único que no tiene miedo de los piratas —dijo Presuntuoso en ese tono que le impedía ser apreciado por todos, pero quizás un ruido lejano lo inquietara, pues añadió a toda prisa—, pero ojalá volviera y nos dijera si ha averiguado algo más sobre Cenicienta.

Se pusieron a hablar de Cenicienta y Lelo estaba seguro de que su madre debía de haber sido muy parecida a ella.

Sólo en ausencia de Peter podían hablar de madres, ya que había prohibido el tema diciendo que era una tontería.

—Lo único que recuerdo de mi madre —les dijo Avispado—, es que le decía a papá con frecuencia: «Oh, ojalá tuviera mi propio talonario de cheques.» No sé qué es un talonario de cheques, pero me encantaría darle uno a mi madre.

Mientras hablaban oyeron un ruido lejano. Vosotros o yo, al no ser criaturas salvajes del bosque, no habríamos oído nada, pero ellos sí lo oyeron y era la espeluznante canción:

—Viva, viva la vida del pirata,
    Un cráneo y dos tibias en la bandera,
  Viva la alegría y una buena soga
    Y viva el buen Satán que nos espera.

Al instante los niños perdidos... ¿pero dónde están? Ya
no están ahí. Unos conejos no podrían haber desaparecido más rápido.

Os diré dónde están . Con excepción de Avispado, que
ha salido corriendo para explorar, ya están en su casa
subterránea, una residencia muy agradable de la que
pronto veremos muchas cosas. ¿Pero cómo han llegado a
ella? Porque no se ve ninguna entrada, ni siquiera un
montón de matojos que, si se apartaran, revelarían la boca
de una cueva. Sin embargo, mirad con atención y puede
que os deis cuenta de que hay aquí siete grandes árboles,
cada uno con un agujero en el tronco hueco tan grande
como un niño. Estas son las siete entradas a la casa
subterránea, que Garfio ha estado buscando en vano
durante tantas lunas. ¿La encontrará esta noche?

Mientras los piratas avanzaban, la rápida mirada de
Starkey descubrió a Avispado que desaparecía en el bosque y al momento su pistola brilló en la oscuridad. Pero
una garra de hierro lo aferró del hombro.

—Capitán, suélteme —exclamó, retorciéndose.

Ahora por primera vez oímos la voz de Garfio. Era una
voz negra.

—Primero guarda esa pistola —dijo amenazadoramente.

—Era uno de los chicos que usted odia. Lo podría
haber matado de un tiro.

—Sí y el ruido habría hecho que los pieles rojas de
Tigridia cayeran sobre nosotros. ¿Es que quieres perder
la cabellera?

—Capitán, ¿voy detrás de él —preguntó el patético

Smee—, y le hago cosquillas con Johnny Sacacorchos?

Smee ponía nombres agradables a todo y su sable era Johnny Sacacorchos, porque lo retorcía en la herida. Se podrían mencionar muchos rasgos encantadores de Smee. Por ejemplo, después de matar, eran sus gafas lo primero que limpiaba en vez de su arma.

—Johnny es un chico silencioso —le recordó a Garfio.

—Ahora no, Smee —dijo Garfio tenebrosamente—. Sólo es uno y quiero acabar con los siete. Dispersaos y buscadlos.

Los piratas desaparecieron entre los árboles y al cabo de un momento su capitán y Smee se quedaron solos. Garfio soltó un profundo suspiro y no sé por qué fue, quizás fuera por la delicada belleza de la noche, pero el caso es que lo invadió el deseo de confiar a su fiel contramaestre la historia de su vida. Habló largo y tendido, pero de qué se trataba Smee, que era bastante estúpido, no tenía ni idea.

Por fin oyó el nombre de Peter.

—Sobre todo —decía Garfio con pasión—, quiero a su capitán, Peter Pan. Fue él quien me cortó el brazo.

Agitó el garfio amenazadoramente.

—He esperado mucho para estrecharle la mano con esto. Ah, lo haré pedazos.

—Pero —dijo Smee—, yo lo he oído a usted decir muchas veces que ese garfio valía por veinte manos, para peinarse y otros usos domésticos.

—Sí —contestó el capitán—, si yo fuera madre rezaría por que mis hijos nacieran con esto en vez de eso.

Y echó una mirada de orgullo a su mano de hierro y una de desprecio a la otra. Luego volvió a fruncir el ceño.

—Peter le echó mi brazo —dijo, estremeciéndose—, a un cocodrilo que pasaba por allí.

—Ya he notado —dijo Smee—, su extraño temor a los cocodrilos.

—A los cocodrilos no —le corrigió Garfio—, sino a ese cocodrilo.

Bajó la voz.

—Le gustó tanto mi brazo, Smee, que me ha seguido desde entonces, de mar en mar y de tierra en tierra, relamiéndose por lo que queda de mí.

—En cierto modo —dijo Smee—, es una especie de cumplido.

—No quiero cumplidos de esa clase —soltó Garfio con petulancia—. Quiero a Peter Pan, que fue quien hizo que ese bicho me tomara gusto.

Se sentó en una gran seta y habló con voz temblorosa.

—Smee —dijo roncamente—, ese cocodrilo ya me habría comido a estas horas, pero por una feliz casualidad se tragó un reloj que hace tic tac en su interior y por eso antes de que me pueda alcanzar oigo el tic tac y salgo corriendo.

Se echó a reir, pero con una risa hueca.

—Algún día —dijo Smee—, el reloj se parará y entonces lo cogerá.

Garfio se humedeció los labios resecos.

—Sí —dijo—, ése es el temor que me atormenta.

Desde que se sentó se había estado sintiendo extrañamente acalorado.

—Smee —dijo—, este asiento está caliente.

Se levantó de un salto.

—Por mil diablos tuertos, que me quemo.

Examinaron la seta, que era de un tamaño y una solidez desconocidos en el mundo real; intentaron arrancarla y se quedaron con ella en las manos al instante, pues no tenía raíces. Y lo que es más raro, al momento comenzó a salir humo. Los piratas se miraron el uno al otro.

—¡Una chimenea! —exclamaron los dos.

Efectivamente, habían descubierto la chimenea de la casa subterránea. Los chicos tenían por costumbre taparla con una seta cuando había enemigos en las cercanías.

No sólo salía humo por ella. También se oían voces de niños, pues tan seguros se sentían los chicos en su escondrijo que estaban charlando alegremente. Los piratas escucharon ceñudos y luego volvieron a colocar la seta. Miraron a su alrededor y vieron los agujeros de los siete árboles.

—¿Ha oído que decían que Peter Pan no está en casa? —susurró Smee, jugueteando con Johnny Sacacorchos.

Garfio asintió. Se quedó largo rato ensimismado y por fin una sonrisa helada le iluminó la cara morena. Smee la había estado esperando.

—Desembuche su plan, capitán —exclamó ansioso.

—Regresar al barco —repitió Garfio despacio y entre dientes—, y hacer un opíparo pastelón bien espeso con azúcar verde por encima. Sólo puede haber una habitación allí abajo, porque hay una sola chimenea. Esos estúpidos topos no han tenido la inteligencia de darse cuenta de que no necesitaban una puerta por persona. Eso demuestra que no tienen madre. Dejaremos el pastel en la orilla de la laguna de las sirenas. Estos chicos siempre están nadando allí, jugando con las sirenas. Encontrarán el pastel y lo engullirán, porque, al no tener madre, no saben lo peligroso que es comer un pastel pesado y húmedo.

Estalló en carcajadas, no una risa hueca esta vez, sino una risa auténtica.

—Ja, ja, ja, morirán.

Smee había estado escuchando con creciente admiración.

—Es el plan más malvado y más bonito que he oído nunca —exclamó y se pusieron a bailar y cantar entusiasmados:

> —Quietos cuando yo aparezco,
> Por miedo a ser atrapados;

Nada os queda en los huesos
Si Garfio os tiene enganchados.

Empezaron la estrofa, pero no llegaron a terminarla, pues se oyó otro ruido que les hizo callar. Al principio era un sonido tan débil que una hoja podría haber caído sobre él y haberlo ahogado, pero al ir acercándose se fue haciendo más fuerte.

Tic tac tic tac.

Garfio se detuvo tembloroso, con un pie en el aire.

—El cocodrilo —dijo con voz entrecortada y salió huyendo, seguido de su contramaestre.

Efectivamente era el cocodrilo. Había adelantado a los pieles rojas, que ahora seguían el rastro de los otros piratas. Siguió deslizándose en pos de Garfio.

Una vez más los chicos salieron a la superfície, pero los peligros de la noche no se habían terminado aún, pues al poco rato se presentó Avispado corriendo sin aliento, perseguido por una manada de lobos. Los perseguidores llevaban la lengua fuera; sus aullidos eran espantosos.

—¡Salvadme, salvadme! —gritó Avispado, cayendo al suelo.

—¿Pero qué podemos hacer, qué podemos hacer?

Fue un gran cumplido para Peter el que en ese angustioso momento sus pensamientos se volvieran hacia él.

—¿Qué haría Peter? —exclamaron simultáneamente.

Casi al mismo tiempo añadieron:

—Peter los miraría por entre las piernas.

Y luego:

—Hagamos lo que haría Peter.

Es la forma más eficaz de desafiar a los lobos y como un solo chico se inclinaron y miraron por entre las piernas. El momento siguiente parece eterno, pero la victoria llegó rápido, ya que cuando los chicos avanzaron hacia ellos en esta terrible postura, los lobos agacharon el rabo y huyeron.

Entonces Avispado se levantó del suelo y los otros creyeron que sus ojos desorbitados seguían viendo a los lobos. Pero no eran lobos lo que veía.

—He visto una cosa maravillosísima —exclamó cuando se agruparon a su alrededor impacientes—. Un gran pájaro blanco. Viene volando hacia aquí.

—¿Qué clase de pájaro crees que es?

—No sé —dijo Avispado perplejo—, pero parece cansadísimo y mientras vuela va gimiendo: «Pobre Wendy.»

—Recuerdo —dijo Presuntuoso al instante—, que hay unos pájaros que se llaman Wendis.

—Mirad, ahí viene —gritó Rizos, señalando a Wendy en el cielo.

Wendy ya estaba casi sobre ellos y podían oir su quejido lastimero. Pero más clara se oía la estridente voz de Campanilla. La celosa hada ya había abandonado su fachada amistosa y se lanzaba contra su víctima por todas direcciones, pellizcándola salvajemente cada vez que la tocaba.

—Hola, Campanilla —gritaron los maravillados niños.

La réplica de Campanilla resonó con fuerza:

—Peter quiere que matéis a la Wendy.

No entraba en su forma de ser hacer preguntas cuando Peter daba órdenes.

—Hagamos lo que Peter desea —gritaron los ingenuos chicos—. Deprisa, arcos y flechas.

Todos menos Lelo bajaron de un salto por sus árboles. El tenía consigo un arco y una flecha y Campanilla se dio cuenta y se frotó las manitas.

—Deprisa, Lelo, deprisa —chilló—. Peter se pondrá muy contento.

Lelo puso emocionado la flecha en el arco.

—Aparta, Campanilla —gritó y luego disparó y Wendy cayó revoloteando al suelo con un dardo en el pecho.

El bobo de Lelo se erguía como un conquistador sobre el cuerpo de Wendy cuando los demás chicos saltaron, armados, de sus árboles.

—Llegáis tarde —exclamó con orgullo—. He matado a la Wendy. Peter estará muy satisfecho de mí.

Por encima Campanilla gritó:

—Cretino.

Y salió disparada a esconderse. Los otros no la oyeron. Se habían apiñado alrededor de Wendy y mientras la miraban se hizo un tremendo silencio en el bosque. Si el corazón de Wendy hubiera estado latiendo, todos lo habrían oído.

Presuntuoso fue el primero que habló.

—Esto no es un pájaro —dijo en tono asustado—. Creo que debe de ser una dama.

—¿Una dama? —dijo Lelo y se echó a temblar.

—Y la hemos matado —dijo Avispado con voz ronca.

Todos se quitaron los gorros.

—Ahora lo entiendo —dijo Rizos—, nos la traía Peter.
Se tiró al suelo desconsolado.

—Una dama para cuidarnos por fin —dijo uno de los
gemelos—, y tú la has matado.

Sentían pena por él, pero más por ellos mismos y
cuando él se acercó un poco más a ellos le volvieron la
espalda.

Lelo estaba muy pálido, pero ahora tenía un aire de
dignidad que antes nunca había aparecido en él.

—Yo lo he hecho —dijo, reflexionando—. Cuando se
me aparecían señoras en sueños, yo decía: «Mamaíta,
mamaíta.» Pero cuando por fin llegó de verdad la maté.

Se alejó despacio.

—No te vayas —lo llamaron apenados.

—Tengo que hacerlo —contestó él, temblando—, tengo mucho miedo de Peter.

En este trágico instante oyeron un ruido que les puso a
todos el corazón en un puño. Oyeron a Peter graznar.

—¡Peter! —gritaron, pues siempre anunciaba así su
regreso.

—Escondedla —susurraron y se agruparon rápidamente en torno a Wendy. Pero Lelo se quedó aparte.

Se oyó otra vez aquel sonoro graznido y Peter se posó
delante de ellos.

—Saludos, chicos —exclamó y ellos saludaron maqui-
nalmente y de nuevo se hizo un silencio.

El frunció el ceño.

—He vuelto —dijo con vehemencia—. ¿Por qué no os
animáis?

Ellos abrieron la boca, pero no les salían los gritos de
júbilo. El lo pasó por alto por la prisa de darles las
maravillosas nuevas.

—Grandes noticias, chicos —exclamó—. Por fin he
traído una madre para todos vosotros.

El silencio continuó, salvo por un golpecito sordo producido por Lelo al caer de rodillas.

—¿No la habéis visto? —preguntó Peter, preocupado—. Volaba hacia aquí.

—Ay de mí —dijo una voz y otra dijo—: Ay, qué tristeza.

Lelo se puso de pie.

—Peter —dijo con calma—, yo te la enseñaré.

Y como los otros seguían queriendo ocultarla dijo:

—Apartaos, gemelos, dejad que Peter lo vea.

De forma que todos se apartaron y le dejaron ver y después de mirar un rato no supo qué hacer a continuación.

—Está muerta —dijo inquieto—. Quizás esté asustada de estar muerta.

Se le ocurrió alejarse saltando cómicamente hasta perderla de vista y luego no acercarse al lugar nunca más. Todos se habrían alegrado de seguirlo si lo hubiera hecho.

Pero estaba la flecha. La sacó del corazón y se encaró con su banda.

—¿De quién es esta flecha? —preguntó severamente.

—Es mía, Peter —dijo Lelo de rodillas.

—Oh mano asesina —dijo Peter y levantó la flecha para usarla como daga.

Lelo no retrocedió. Se descubrió el pecho.

—Clávala, Peter —dijo con firmeza—, clávala bien.

Dos veces levantó Peter la flecha y dos veces cayó su mano.

—No puedo clavarla —dijo admirado—, algo detiene mi mano.

Todos lo miraron estupefactos, menos Avispado, que por suerte miró a Wendy.

—Es ella —gritó—, la señora Wendy; mirad, su brazo.

Maravilla de maravillas, Wendy había alzado el brazo. Avispado se inclinó sobre ella y escuchó reverentemente.

—Creo que ha dicho «Pobre Lelo» —susurró.

—Está viva —dijo Peter lacónicamente.

Presuntuoso gritó al instante;

—La señora Wendy está viva.

Entonces Peter se arrodilló junto a ella y descubrió su caperuza. Recordaréis que ella se la había colgado de una cadena que llevaba al cuello.

—Mirad —dijo—, la flecha chocó con esto. Es el beso que le di. Le ha salvado la vida.

—Yo me acuerdo de los besos —interrumpió Presuntuoso rápidamente—, déjame verlo. Sí, eso es un beso.

Peter no lo oyó. Estaba rogándole a Wendy que se pusiera bien deprisa, para poder enseñarle las sirenas. Por supuesto, ella no podía contestar aún, pues seguía totalmente desmayada, pero por encima se oyó un lamento.

—Escuchad a Campanilla —dijo Rizos—, está llorando porque la Wendy está viva.

Entonces tuvieron que contarle a Peter el crimen de Campanilla y casi nunca lo habían visto con un aspecto tan serio.

—Escucha, Campanilla —gritó—, ya no soy tu amigo. Aléjate de mí para siempre.

Ella se posó en su hombro y suplicó, pero él la apartó de un manotazo. Hasta que Wendy no volvió a alzar el brazo no se ablandó lo suficiente como para decir:

—Bueno, para siempre no, pero sí una semana entera.

¿Creéis que Campanilla estaba agradecida a Wendy por levantar el brazo? Claro que no, jamás tuvo tantas ganas de pellizcarla. Las hadas son realmente extrañas y Peter, que era quien mejor las conocía, las golpeaba con frecuencia.

¿Pero qué hacer con Wendy en su delicado estado de salud?

—Bajémosla a la casa —propuso Rizos.

—Sí —dijo Presuntuoso—, eso es lo que se hace con las damas.

—No, no —dijo Peter—, no hay que tocarla. No sería lo bastante respetuoso.

—Eso —dijo Presuntuoso—, es lo que yo pensaba.

—Pero si se queda ahí tumbada —dijo Lelo—, se morirá.

—Sí, se morirá —admitió Presuntuoso—, pero no se puede hacer otra cosa.

—Sí, sí se puede —exclamó Peter—. Construyamos una casita a su alrededor.

Todos se quedaron encantados.

—Deprisa —les ordenó—, que cada uno me traiga lo mejor de lo que tenemos. Destripad nuestra casa. Moveos.

Al momento estuvieron tan atareados como unos sastres en la víspera de una boda. Correteaban de un lado a otro, abajo a buscar cosas para la cama, arriba para coger leña y mientras estaban en ello, hete aquí que aparecieron John y Michael. Mientras avanzaban penosamente por el suelo se quedaban dormidos de pie, se detenían, se despertaban, daban otro paso y se volvían a dormir.

—John, John —lloraba Michael—, despierta. ¿Dónde está Nana, John? ¿Y mamá?

Y entonces John se frotaba los ojos y murmuraba:

—Es cierto, hemos volado.

Os aseguro que se sintieron muy aliviados al encontrar a Peter.

—Hola, Peter —dijeron.

—Hola, —replicó Peter amistosamente, aunque se habían olvidado de ellos por completo. Estaba muy ocupado en ese momento midiendo a Wendy con los pies para ver el tamaño de la casa que necesitaría. Por supuesto, tenía intención de dejar sitio para sillas y una mesa. John y Michael lo observaban.

—¿Está dormida Wendy? —preguntaron.

—Sí.

—John —propuso Michael—, vamos a despertarla para que nos haga la comida.

Pero cuando lo estaba diciendo algunos de los demás chicos llegaron corriendo cargados de ramas para la construcción de la casa.

—¡Míralos! —gritó.

—Rizos —dijo Peter con su voz más capitanesca—, ocúpate de que estos chicos ayuden a construir la casa.

—Sí, señor.

—¿Construir una casa? —exclamó John.

—Para la Wendy —dijo Rizos.

—¿Para Wendy? —dijo John horrorizado—. Pero si no es más que una chica.

—Por eso —explicó Rizos—, somos sus servidores.

—¿Vosotros? ¡Servidores de Wendy!

—Sí —dijo Peter—, y vosotros también. Lleváoslos.

Se llevaron a rastras a los atónitos hermanos para que cortaran, talaran y cargaran.

—Lo primero sillas y una valla —ordenó Peter—. Luego construiremos la casa a su alrededor.

—Sí —dijo Presuntuoso—, así se construye una casa, ya me acuerdo.

Peter estaba en todo.

—Presuntuoso —ordenó—, trae a un médico.

—Sí —dijo Presuntuoso al momento y desapareció, rascándose la cabeza. Pero sabía que había que obedecer a Peter y regresó al cabo de un rato, con el sombrero de John y expresión solemne.

—Por favor, señor —dijo Peter, acercándose a él—, ¿es usted médico?

La diferencia entre los demás chicos y él en un momento como ése era que ellos sabían que todo era fingido, mientras que para él lo fingido y lo real eran exactamente lo mismo. Esto a veces tenía sus inconvenientes, como cuando tenían que fingir que habían comido.

Si dejaban de fingir él los golpeaba en los nudillos.

—Sí, jovencito —replicó muy apurado Presuntuoso, que tenía los nudillos agrietados.

—Por favor, señor —explicó Peter—, tenemos a una dama muy enferma.

Estaba tumbada a sus pies, pero Presuntuoso tuvo el sentido común de no verla.

—Vaya, vaya, —dijo—, ¿dónde está?

—En aquel claro.

—Le pondré una cosa de cristal en la boca —dijo Presuntuoso y fingió hacerlo, mientras Peter aguardaba. Hubo un momento de angustia cuando retiró la cosa de cristal.

—¿Cómo está? —preguntó Peter.

—Vaya, vaya —dijo Presuntuoso—, esto la ha curado.

—Qué alegría —gritó Peter.

—Vendré a verla otra vez por la noche —dijo Presuntuoso—; déle caldo concentrado de carne en una taza con pitorro.

Pero tras haberle devuelto el sombrero a John soltó grandes resoplidos, que era lo que tenía por costumbre al escapar de dificultades.

Entretanto el bosque había estado plagado del ruido de las hachas; casi todo lo necesario para una vivienda acogedora estaba ya a los pies de Wendy.

—Ojalá supiéramos —dijo uno—, qué tipo de casa le gusta más.

—Peter —gritó otro—, se está moviendo en sueños.

—Se le abre la boca —exclamó un tercero, mirando dentro respetuosamente—. ¡Oh, qué bonito!

—A lo mejor se pone a cantar en sueños —dijo Peter—. Wendy, cántanos el tipo de casa que te gustaría tener.

Inmediatamente, sin abrir los ojos, Wendy se puso a cantar:

> —Me gustaría tener una bella casita,
>   La más pequeña que hayáis admirado,
> Con lindas paredes de rojo color
>   Y de musgoso verdor el tejado.

Gorjearon de alegría ante esto, pues por increíble fortuna las ramas que habían traído estaban untadas de savia roja y todo el suelo estaba cubierto de musgo. Mientras montaban la casita a martillazos, ellos mismos se pusieron a cantar:

> —Hemos levantado las paredes y el tejado
>   Y hemos hecho una puerta encantadora,
> Así que dinos, madre Wendy,
>   ¿Hay algo más que quieras ahora?

A esto ella contestó con cierta avidez:

> —Además de todo eso yo creo
>   Que alegres ventanas quisiera,
> Con rosas asomando hacia dentro
>   Y bebés asomando hacia fuera.

Con unos buenos puñetazos hicieron las ventanas y unas grandes hojas amarillas hicieron de postigos. Pero, ¿y las rosas?

—Rosas —gritó Peter imperiosamente.

Rápidamente fingieron que las rosas más hermosas crecían trepando por las paredes.

¿Bebés?

Para evitar que Peter pidiera bebés se apresuraron a volver a cantar:

—Hemos hecho las rosas que asoman,
En la puerta están los bebés,
No podemos volver a nacer,
Pues nacimos hace años, ya ves.

Peter, dándose cuenta de que esto era una buena idea, fingió al momento que era suya. La casa era muy bonita y sin duda Wendy estaba muy cómoda dentro, aunque, claro está, ya no podían verla. Peter se movió de un lado a otro encargando los toques finales. Nada se escapaba a su vista de águila. Justo cuando parecía totalmente acabada dijo:

—La puerta no tiene aldaba.

Se quedaron muy avergonzados, pero Lelo entregó la suela de su zapato, que se convirtió en una aldaba excelente.

Ya está totalmente acabada, pensaron.

Ni mucho menos.

—No hay chimenea —dijo Peter—, tenemos que poner una chimenea

—Sí que le hace falta una chimenea —dijo John dándose importancia. Esto le dio una idea a Peter. Le arrancó a John el sombrero de la cabeza, lo desfondó y colocó el sombrero sobre el tejado. La casita se puso tan contenta de tener una chimenea tan buena que, como para dar las gracias, inmediatamente empezó a salir humo del sombrero.

Ahora ya estaba realmente acabada. No quedaba nada más que hacer, salvo llamar a la puerta.

—Poneos guapos —les advirtió Peter—, las primeras impresiones son importantísimas.

Se alegró de que nadie le preguntara qué eran las primeras impresiones: estaban todos demasiado ocupados poniéndose guapos.

Llamó a la puerta cortésmente y ahora el bosque estaba

tan silencioso como los niños, no se oía ni un ruido, salvo a Campanilla, que estaba observando desde una rama y mofándose sin disimulos.

Lo que los chicos se preguntaban era, ¿contestaría alguien a la llamada? Si fuera una dama, ¿cómo sería?

La puerta se abrió y salió una dama. Era Wendy. Todos se quitaron el gorro.

Parecía debidamente sorprendida y así era justo cómo habían esperado que estuviera.

—¿Dónde estoy? —dijo.

Naturalmente, Presuntuoso fue el primero en meter baza.

—Señora Wendy —dijo rápidamente—, hemos construido esta casa para ti.

—Oh, di que estás contenta —exclamó Avispado.

—Qué casa tan bonita y agradable —dijo Wendy y eran las palabras justas que ellos habían esperado que dijera.

—Y nosotros somos tus niños —gritaron los gemelos.

Entonces todos se pusieron de rodillas y alargando los brazos exclamaron:

—Oh señora Wendy, se nuestra madre.

—¿Debería? —dijo Wendy, toda radiante—. Naturalmente, es fascinante, pero es que yo sólo soy una niña. No tengo experiencia de verdad.

—Eso no importa —dijo Peter, como si él fuera el único presente que lo sabía todo acerca del tema, aunque en realidad era el que menos sabía—. Lo que nos hace falta es simplemente una persona agradable y maternal.

—¡Vaya! —dijo Wendy—. ¿Sabéis? Creo que eso es exactamente lo que yo soy.

—Sí, sí —gritaron todos—, lo notamos al instante.

—Muy bien —dijo ella—, haré todo lo que pueda. Entrad inmediatamente, diablillos, estoy segura de que tenéis los pies mojados. Y antes de meteros en la cama

tengo el tiempo justo de terminar el cuento de Cenicienta.

Allá fueron; no sé cómo había sitio para todos, pero uno se puede apretar mucho en el País de Nunca Jamás. Y aquélla fue la primera de las muchas noches felices que pasaron con Wendy. Más tarde los arropó en la gran cama de la casa de debajo de los árboles, pero ella durmió esa noche en la casita y Peter montó guardia fuera con la espada desenvainada, pues se oía a los piratas de parranda a lo lejos y los lobos estaban al acecho. La casita tenía un aire muy acogedor y seguro en la oscuridad con una alegre luz filtrándose a través de los postigos y la chimenea humeando estupendamente y Peter montando guardia.

Al cabo de un rato se quedó dormido y unas hadas tambaleantes tuvieron que trepar por encima de él al volver a casa después de una orgía. A cualquiera de los otros chicos que hubiera obstruido el sendero de las hadas por la noche le habrían hecho algo malo, pero a Peter sólo le pellizcaron la nariz y pasaron de largo.

Una de las primeras cosas que hizo Peter al día siguiente fue tomar medidas a Wendy, John y Michael para unos árboles huecos. Recordaréis que Garfio se había burlado de los chicos por creer que necesitaban un árbol por persona, pero lo hizo por ignorancia, ya que a menos que el árbol se adecuase a las medidas de uno costaba subir y bajar y no había dos chicos que fueran exactamente del mismo tamaño. Una vez que se encajaba, uno tomaba aliento en la superficie y bajaba justo a la velocidad apropiada, mientras que para ascender se tomaba aliento y se soltaba alternativamente y de esta forma se subía serpenteando. Naturalmente, cuando uno domina el asunto se pueden hacer estas cosas sin pensarlas y entonces nada resulta más elegante.

Pero sencillamente hay que encajar y Peter le toma a uno medidas para el árbol con tanto cuidado como para un traje: la única diferencia es que las ropas se hacen para que le encajen a uno, mientras que uno tiene que estar

hecho para encajar en el árbol. Por lo general es muy fácil
hacerlo, por ejemplo poniéndose muchas ropas o muy
pocas, pero si uno abulta en lugares poco apropiados o si
el único árbol disponible tiene una forma extraña, Peter le
hace a uno una serie de cosas y tras eso uno encaja. Una
vez que se encaja, hay que tener mucho cuidado para
seguir encajando y esto, según iba a descubrir Wendy
encantada, mantiene a toda una familia en perfectas con-
diciones.

Wendy y Michael encajaron en sus árboles al primer
intento, pero a John hubo que alterarlo un poco.

Tras unos cuantos días de práctica podían subir y bajar
con la facilidad de unos cubos en un pozo. Y cómo se
encariñaron con su casa subterránea, especialmente Wendy. Consistía en una estancia grande, como deberían
tener todas las casas, con un suelo en el que se podía cavar
si se quería pescar y en este suelo crecían gruesas setas de
bonitos colores, que se empleaban como taburetes. Un
árbol de Nunca Jamás se esforzaba por crecer en el centro
de la habitación, pero todas las mañanas serraban el
tronco, a ras del suelo. Hacia la hora del té siempre tenía
unos dos pies de alto y entonces colocaban una puerta
sobre él, con lo cual aquello se convertía en una mesa; tan
pronto como lo recogían todo, volvían a serrar el tronco
y así tenían más espacio para jugar. Había un hogar
enorme que se encontraba casi en cualquier lugar de la
habitación donde se quisiera encenderlo y encima Wendy
tendía unas cuerdas, hechas de fibra, donde colgaba la
colada. De día la cama se dejaba apoyada contra la pared
y se bajaba a las 6,30, momento en el que ocupaba casi
media habitación y todos los chicos menos Michael dormían en ella, como sardinas en lata. Había una norma
estricta que prohibía darse la vuelta hasta que uno no
diera la señal y entonces todos se daban la vuelta al mismo
tiempo. Michael también tendría que haberla usado, pero

Wendy quería tener un bebé y él era el más pequeño y ya
sabéis cómo son las mujeres y, en resumidas cuentas, el
caso es que dormía colgado en una cesta.

Era un lugar tosco y sencillo, no muy distinto de lo que
unos oseznos habrían hecho con una casa subterránea en
las mismas circunstancias. Pero había un hueco en la
pared, no más grande que una jaula de pájaro, que era el
apartamento privado de Campanilla. Se podía aislar del
resto de la casa mediante una cortinita, que Campanilla,
que era muy quisquillosa, siempre tenía echada al vestirse
o desvertirse. Ninguna mujer, por grande que fuera,
podía haber tenido una combinación de tocador y dormi-
torio más primorosa. El canapé, como lo llamaba ella
siempre, era un auténtico Reina Mab*, de patas gruesas y
cambiaba las colchas según las flores de temporada de los
árboles frutales. Su espejo era un Gato con Botas, de los
que, que sepan los tratantes del mundo de las hadas, sólo
quedan tres, sin desperfectos; el lavabo era un Molde
Pastelero reversible, la cómoda un auténtico Encantador
VI y la alfombra y las esteras de la mejor época (la
primera) de Margery y Robin. Había una araña de Tiddlywinks** por cuestión de efecto, pero naturalmente,
ella misma iluminaba la residencia. Campanilla menos-
preciaba mucho el resto de la casa, como realmente quizás
fuera inevitable y su aposento, aunque bonito, tenía un
aire bastante engreído, de permanente desprecio.

Supongo que todo aquello le resultaba especialmente
cautivador a Wendy, porque esos alocados chicos suyos
le daban muchísimo que hacer. Realmente había semanas

---

* La reina Mab es la reina de las hadas en el folklore tradicional inglés.
Los nombres que vienen a continuación también pertenecen a esa
tradición (N. de la T.)
** Tiddlywinks = juego de la pulga; aquí empleado como lugar de
origen o marca de fábrica (N. de la T.)

enteras en las que, salvo quizás con un calcetín al atarde-
cer, nunca subía a la superficie. Os aseguro que la cocina
la mantenía atada a las cazuelas. Su comida principal era
fruto del pan asado, batatas, cocos, cochinillo asado,
frutos de mamey, rollos de tapa y plátanos, todo ello
remojado con zumo de papaya, pero nunca se sabía
exactamente si habría una comida real o simplemente una
fantasía, dependía de lo que a Peter le apeteciera. El podía
comer de verdad, si eso era parte de un juego, pero no
podía atiborrarse sólo por el placer de sentirse atiborrado,
que es lo que más le gusta a la mayoría de los niños;
detrás de eso lo que más les gusta es hablar de ello. La
ficción le resultaba tan real que durante una comida de ese
tipo se podía ver cómo se iba llenando. Naturalmente
esto resultaba molesto, pero sencillamente había que
hacer lo mismo que él y si uno le podía demostrar que se
estaba quedando demasiado delgado para su árbol él
permitía que se atiborrara.

El momento preferido de Wendy para coser y zurcir
era cuando ya estaban todos en la cama. Entonces, según
sus propias palabras, tenía un rato para respirar y lo
empleaba en hacerles cosas nuevas y poner rodilleras,
pues destrozaban muchísimo las rodillas.

Cuando se sentaba ante un cesto de calcetines, todos
con un agujero en el talón, levantaba los brazos y exclamaba:

—Dios mío, estoy convencida de que a veces las solte-
ras son de envidiar.

La cara le resplandecía al exclamar esto.

Recordaréis a su lobo mascota. Pues bien, éste no tardó
en descubrir que había llegado a la isla y la encontró y
ambos se lanzaron el uno en brazos del otro. Tras esto él
la seguía por todas partes.

A medida que pasaba el tiempo, ¿se acordaba mucho
ella de los amados padres a los que había abandonado?

Esta es una pregunta difícil, porque es imposible saber
cómo pasa el tiempo en el País de Nunca Jamás, donde se
calcula por lunas y soles y siempre hay muchos más que
en el mundo real. Pero me temo que Wendy no estaba
realmente preocupada por su padre y su madre: estaba
absolutamente convencida de que siempre tendrían la
ventana abierta para que ella regresara volando y esto la
tranquilizaba por completo. Lo que a veces la inquietaba
era que John se acordaba de sus padres difusamente,
como unas personas a las que hubiera conocido en otra
época, mientras que Michael estaba bien dispuesto a creer
que ella era su madre de verdad. Estas cosas la asustaban
un poco y con el noble deseo de cumplir con su deber,
intentaba grabarles su antigua vida en la cabeza ponién-
doles exámenes sobre ello, que se parecían lo más posible
a los que ella hacía en la escuela. A los demás chicos esto
les parecía interesantísimo y se empeñaron en participar;
se hicieron pizarrines y se sentaban alrededor de la mesa,
escribiendo y pensando con ahínco en las preguntas que
ella había escrito en otro pizarrín y les había ido pasando.
Eran preguntas de lo más normal: «¿De qué color eran
los ojos de mamá? ¿Quién era más alto, papá o mamá?
¿Mamá era rubia o morena? Contestar las tres preguntas
si es posible.» «(A) Escribir una redacción de no menos
de 40 palabras sobre Cómo pasé mis últimas Vacaciones,
o Comparación del Carácter de papá y mamá. Hacer sólo
una de las dos.» O «(1) Describir la risa de mamá; (2)
Describir la risa de papá; (3) Describir el Vestido de
Fiesta de mamá; (4) Describir la Perrera y a su Ocupan-
te.»
Eran simplemente preguntas corrientes como éstas y
cuando uno no sabía contestarlas había que hacer una
cruz y realmente era horrible la cantidad de cruces que
hacía incluso John. Por supuesto, el único chico que
contestaba todas las preguntas era Presuntuoso y nadie

tenía mayores esperanzas de sacar la mejor nota, pero sus respuestas eran absolutamente ridículas y en realidad sacaba la peor: algo muy triste.

Peter no concursaba. Por un lado despreciaba a todas las madres excepto a Wendy y por otro era el único chico de la isla que no sabía ni leer ni escribir, ni la más mínima palabra. El estaba por encima de ese tipo de cosas.

Por cierto, las preguntas estaban todas escritas en pasado. De qué color eran los ojos de mamá, etcétera. Es que a Wendy también se le había ido olvidando.

La aventuras, claro está, como veremos, ocurrían todos los días, pero hacia esta época Peter se inventó, con ayuda de Wendy, un juego nuevo que lo tenía fascinadísimo, hasta que de pronto dejó de interesarse por él, cosa que, como ya se os ha dicho, era lo que siempre ocurría con sus juegos. Se trataba de fingir que no corrían aventuras, de hacer lo que John y Michael habían estado haciendo toda su vida: quedarse sentados en taburetes lanzando pelotas al aire, empujarse, salir a dar paseos y volver sin haber matado ni un oso gris. Ver a Peter sin hacer nada en un taburete era todo un espectáculo: no podía evitar tener aire de solemnidad en tales ocasiones, estar sentado sin moverse le parecía una cosa muy cómica. Se jactaba de haber ido a dar un paseo por el bien de su salud. Durante varios soles éstas fueron para él las aventuras más originales de todas y John y Michael tenían que fingir estar también encantados: si no, los habría tratado con mano dura.

Salía solo con frecuencia y cuando regresaba nunca se tenía la absoluta certeza de si había corrido una aventura o no. Podía haberla olvidado tan por completo que no decía nada sobre ella y luego cuando uno salía encontraba el cadáver y, por otra parte, podía decir muchas cosas sobre ella y, sin embargo, uno no encontraba el cadáver. A veces volvía a casa con la cabeza vendada y entonces

Wendy le daba mimos y se la lavaba con agua tibia, mientras él contaba una historia deslumbrante. Pero la verdad es que ella nunca estaba convencida del todo. Sin embargo, había muchas aventuras que sabía que eran ciertas porque ella misma participaba en ellas y había aún más que eran verídicas por lo menos en parte, pues los demás chicos participaban en ellas y decían que eran totalmente ciertas. Para describir todas ellas haría falta un libro tan grande como un Diccionario de Inglés-Latín, Latín-Inglés y lo más que podemos hacer es presentar una como ejemplo de un momento cualquiera en la isla. Lo difícil es cuál elegir. ¿Tomamos el enfrentamiento con los pieles rojas en el Barranco de Presuntuoso? Fue un asunto sanguinario y especialmente interesante por mostrar una de las peculiaridades de Peter, que era que en medio de la refriega de repente cambiaba de bando. En el Barranco, cuando la victoria todavía no estaba decidida, inclinándose a veces hacia un lado y a veces hacia el otro, gritó:

—Hoy soy indio. ¿Tú qué eres, Lelo?

Y Lelo contestó:

—Indio. ¿Tú qué eres, Avispado?

Y Avispado dijo:

—Indio. ¿Tú qué eres, Gemelo?

Y así sucesivamente, hasta que al final todos eran indios y, por supuesto, esto habría acabado con la pelea si no fuera porque los auténticos indios, fascinados por los métodos de Peter, aceptaron ser niños perdidos por esa vez y por ello todos se lanzaron al ataque de nuevo, con más fiereza que nunca.

El resultado extraordinario de esta aventura fue que... pero aún no hemos decidido si ésta es la aventura que vamos a contar. Quizás una mejor sería el ataque nocturno que los pieles rojas lanzaron sobre la casa subterránea, cuando varios de ellos se quedaron atascados en los árboles huecos y hubo que sacarlos como si fueran corchos. O podríamos contar cómo Peter le salvó la vida a Tigridia en la Laguna de las Sirenas y de esta forma la convirtió en su aliada.

O podríamos hablar de ese pastel que hicieron los piratas para que se lo comieran los chicos y perecieran y de cómo lo fueron colocando de lugar apropiado en lugar apropiado, pero Wendy siempre lo apartaba de las manos de los niños, de modo que acabó por perder su suculencia, se puso duro como un pedrusco, fue empleado como proyectil y Garfio tropezó con él en la oscuridad.

O pongamos que hablamos de los pájaros que eran amigos de Peter, especialmente del ave de Nunca Jamás que hizo su nido en un árbol que colgaba por encima de la laguna y de cómo el nido cayó al agua y el ave siguió sentada sobre los huevos y Peter dio órdenes para que no fuera molestada. Esa es una historia bonita y el final muestra lo agradecido que puede ser un pájaro, pero si lo contamos también tenemos que contar toda la aventura de la laguna, cosa que realmente sería contar dos aventuras en vez de una. Una aventura más corta e igual de emocionante fue el intento de Campanilla, con ayuda de unas hadas callejeras, de trasladar a la durmiente Wendy al mundo real en una gran hoja flotante. Por suerte la hoja se venció y Wendy se despertó, creyendo que era la hora del baño y regresó a nado. O también podríamos escoger el desafío de Peter a los leones, cuando trazó un círculo alrededor de sí mismo en el suelo con una flecha y los desafió a que lo cruzaran y aunque esperó durante horas, mientras los demás chicos y Wendy observaban sin aliento desde los árboles, ninguno de ellos se atrevió a aceptar el reto.

¿Cuál de estas aventuras elegiremos? Lo mejor será echarlo a cara o cruz.

He lanzado la moneda y ha ganado la laguna. Esto casi

le hace a uno desear que hubiera ganado el barranco o el pastel o la hoja de Campanilla. Claro, que podría volver a hacerlo tres veces más y elegir la aventura que se repitiera; no obstante, quizás lo más justo sea quedarse con la laguna.

8. La laguna de las sirenas

Si uno cierra los ojos y tiene suerte, puede ver a veces
un charco informe de preciosos colores pálidos flotando
en la oscuridad; entonces, si se aprietan aún más los ojos,
el charco empieza a cobrar forma y los colores se hacen tan
vívidos que con otro apretón estallarán en llamas. Pero
justo antes de que estallen en llamas se ve la laguna. Esto
es lo más cerca que se puede llegar en el mundo real, un
momento glorioso; si pudiera haber dos momentos se
podría ver el oleaje y oir a las sirenas cantar.

Los niños solían pasar largos días de verano en esta
laguna, nadando o flotando casi todo el rato, jugando a
los juegos de las sirenas en el agua y cosas así. No debéis
creer por esto que las sirenas tenían buena relación con
ellos: por el contrario, uno de los pesares más duraderos
de Wendy era que en todo el tiempo que estuvo en la isla
jamás logró que alguna de ellas le dirigiera ni una sola
palabra cortés. Cuando se acercaba sigilosamente hasta la
orilla de la laguna podía llegar a verlas a montones,

especialmente en la Roca de los Abandonados, donde les encantaba tomar el sol, peinándose con gestos lánguidos que la fastidiaban mucho; o incluso llegaba a nadar, de puntillas como si dijéramos, hasta ponerse a una yarda de ellas, pero entonces la veían y se zambullían, probablemente salpicándola con la cola, no por accidente, sino con toda intención.

Trataban a todos los chicos de la misma forma, menos a Peter, claro está, que se pasaba horas charlando con ellas en la Roca de los Abandonados y se sentaba en sus colas cuando se ponían descaradas. Le dio a Wendy uno de sus peines.

El momento más hechizador para verlas es cuando cambia la luna, entonces sueltan unos extraños gritos lastimeros, pero la laguna es peligrosa en esas circunstancias para los mortales y hasta la noche que vamos a relatar ahora, Wendy no la había visto nunca a la luz de la luna, no tanto por miedo, ya que por supuesto Peter la habría acompañado, como porque había instaurado la norma estricta de que todo el mundo estuviera en la cama a las siete. Sin embargo, iba con frecuencia a la laguna en los días soleados después de llover, cuando las sirenas emergen en enormes cantidades para jugar con burbujas. Emplean como pelotas las burbujas multicolores hechas con agua del arco iris, pasándoselas alegremente las unas a las otras con la cola y tratando de mantenerlas en el arco iris hasta que estallan. Las porterías están a cada extremo de arco iris y a las porteras sólo se les permite usar las manos. A veces hay cientos de sirenas jugando en la laguna a la vez y es un espectáculo muy bonito.

Pero en el momento en que los niños intentaban participar tenían que jugar solos, pues las sirenas desaparecían inmediatamente. No obstante, tenemos pruebas de que observaban secretamente a los intrusos y eran capaces de tomar alguna idea de ellos, porque John introdujo una forma nueva de golpear la burbuja, con la cabeza en lugar de la mano y las porteras sirenas la adoptaron. Esta es la única huella que John ha dejado en el País de Nunca Jamás.

También tiene que haber sido muy bonito ver a los niños reposando en una roca durante media hora después del almuerzo. Wendy se empeñaba en que lo hicieran y tenía que ser un reposo auténtico aunque la comida fuera ficticia. De forma que se tumbaban al sol, que hacía relucir sus cuerpos, mientras ella se sentaba a su lado con aire de importancia.

Era un día de este tipo y estaban todos en la Roca de los Abandonados. La roca no era mucho mayor que su gran cama, pero naturalmente todos sabían ocupar poco espacio y estaban dormitando, o por lo menos estaban echados con los ojos cerrados y se tiraban pellizcos cuando creían que Wendy no miraba. Estaba muy ocupada, cosiendo.

Mientras cosía se produjo un cambio en la laguna. Unos pequeños temblores la recorrieron, el sol se escondió y las sombras se extendieron sobre el agua, enfriándola. Wendy ya no tenía luz suficiente para enhebrar la aguja y al levantar la vista, la laguna, que hasta entonces siempre había sido un lugar tan alegre, tenía un aire formidable y amenazador.

Sabía que no se había hecho de noche, pero había llegado algo tan oscuro como la noche. No, peor que eso. No había llegado, sino que había enviado ese estremecimiento por el mar, para anunciar que estaba llegando. ¿Qué era?

La invadieron todas las historias que le habían contado sobre la Roca de los Abandonados, llamada así porque los capitanes malvados abandonan a los marineros en ella y los dejan allí para que se ahoguen. Se ahogan cuando sube la marea, porque entonces queda sumergida.

Como es lógico, tendría que haber despertado a los chicos al momento, no sólo por aquella cosa desconocida que avanzaba acechante hacia ellos, sino porque ya no era bueno para ellos que durmieran en una roca que se había puesto fría. Pero era una madre inexperta y no lo sabía: creía que simplemente había que atenerse a la norma de media hora de reposo después del almuerzo. Por eso, aunque el miedo la atenazaba y deseaba oir voces masculinas, no quiso despertarlos. Ni siquiera cuando oyó el ruido de remos envueltos en tela, aunque tenía el corazón en la boca, los despertó. Montó guardia para que echaran la siesta completa. ¿No fue Wendy muy valiente?

Fue una suerte para aquellos chicos que hubiera uno entre ellos que podía oler el peligro incluso estando dormido. Peter se irguió de un salto, tan despierto al instante como un sabueso y con un grito de advertencia despertó a los demás.

Se quedó inmóvil, con una mano en la oreja.

—¡Piratas! —exclamó. Los otros se acercaron más a él. Una sonrisa extraña le bailaba en la cara y Wendy la vio y se estremeció. Mientras sonreía de esta manera nadie se atrevía a hablarle, lo único que podían hacer era estar preparados para obedecer. Dio la orden brusca y tajantemente:

—¡Al agua!

Hubo un destello de piernas y al instante la laguna pareció desierta. La Roca de los Abandonados se alzaba sola en las lúgubres aguas, como si ella misma estuviera abandonada.

La barca se acercó. Era el bote pirata, con tres figuras dentro, Smee, Starkey y la tercera una cautiva, nada más y nada menos que Tigridia. Iba atada de pies y manos y conocía el destino que le esperaba. La iban a dejar en la roca para que pereciera, un fin que para los de su raza era más horrible que morir en la hoguera o bajo tortura, pues

¿acaso no está escrito en el libro de la tribu que no hay un sendero en el agua que lleve al paraíso de los cazadores? Sin embargo, tenía una expresión impasible: era hija de un jefe, debía morir como la hija de un jefe y con eso bastaba.

La habían atrapado abordando el barco pirata con un cuchillo en la boca. En el barco no se hacía guardia, pues Garfio se jactaba de que la fama de su nombre bastaba para proteger el barco en una milla a la redonda. Ahora el destino de ella también contribuiría a protegerlo. Un quejido más aumentaría su fama esa noche.

En la penumbra que traían consigo los dos piratas no vieron la roca hasta que chocaron con ella.

—Orza, palurdo —exclamó una voz irlandesa que era la de Smee—, aquí está la roca. Ahora, lo que tenemos que hacer es izar a la india hasta allí arriba y dejarla ahí para que se ahogue.

No tardaron ni un momento en depositar brutalmente a la hermosa muchacha en la roca: era demasiado orgullosa para oponer una resistencia inútil.

Muy cerca de la roca, pero sin que se vieran, flotaban dos cabezas, la de Peter y la de Wendy, siguiendo el vaivén de las olas. Wendy estaba llorando, pues era la primera tragedia que veía. Peter había visto muchas tragedias, pero se le habían olvidado todas. No sentía tanta pena por Tigridia como Wendy, lo que lo enfurecía era que eran dos contra uno y tenía intención de salvarla. Lo fácil habría sido esperar a que los piratas se hubieran ido, pero él nunca optaba por lo fácil.

No había prácticamente nada que no supiera hacer y ahora imitó la voz de Garfio.

—Eh vosotros, matalotes —gritó. Era una imitación maravillosa.

—El capitán —dijeron los piratas, mirándose el uno al otro sorprendidos.

—Debe de estar nadando hacia nosotros —dijo Starkey, después de buscarlo en vano.

—Estamos colocando a la india en la roca —gritó Smee.

—Soltadla —fue la asombrosa respuesta.

—¡Soltarla!

—Sí, cortadle las ataduras y que se vaya.

—Pero, capitán...

—Ahora mismo, me oís —gritó Peter—, u os clavo el garfio.

—Qué raro —dijo Smee entrecortadamente.

—Será mejor que hagamos lo que ordena el capitán —dijo Starkey nervioso.

—Sí —dijo Smee y cortó las ligaduras de Tigridia. Inmediatamente ésta se deslizó como una anguila entre las piernas de Starkey y se zambulló en el agua.

Naturalmente Wendy estaba encantada por la inteligencia de Peter, pero sabía que también él estaría encantado y que era muy probable que se pusiera a graznar y se traicionara de ese modo, por lo que al instante alargó la mano para taparle la boca. Pero no llegó a hacerlo, porque por toda la laguna resonó «¡Ah del bote!» con la voz de Garfio y esta vez no era Peter quien había hablado.

Puede que Peter hubiera estado a punto de graznar, pero en cambio su cara se transformó como para dar un silbido de sorpresa.

—¡Ah del bote! —volvió a oirse.

Entonces Wendy comprendió. El auténtico Garfio estaba también en el agua.

Iba nadando hacia el bote y como sus hombres sacaron un farol para guiarlo pronto llegó hasta ellos. A la luz del farol Wendy vio cómo su garfio aferraba la borda del bote, vio su malvada cara morena al alzarse del agua chorreando y, estremeciéndose, habría querido alejarse nadando, pero Peter no se movía. Estaba vibrante de energía y además hinchado de vanidad.

—¿A que soy genial? ¡Ah, pero qué genial soy! —le susurró y aunque ella también lo creía, se alegraba mucho por su reputación de que nadie lo oyera excepto ella.

El le hizo señas de que escuchara.

Los dos piratas tenían mucha curiosidad por saber qué había traído a su capitán hasta ellos, pero él se quedó sentado con la cabeza apoyada en el garfio en un gesto de profundo abatimiento.

—Capitán, ¿ocurre algo? —preguntaron tímidamente, pero él contestó con un quejido sepulcral.

—Suspira —dijo Smee.

—Vuelve a suspirar —dijo Starkey.

—Y suspira por tercera vez —dijo Smee.

—¿Qué pasa, capitán?

Entonces habló por fin con vehemencia.

—Se acabó el juego —exclamó—, esos chicos han encontrado una madre.

Asustada como estaba, Wendy se llenó de orgullo.

—Oh día fatídico —soltó Starkey.

—¿Qué es una madre? —preguntó el ignorante de Smee.

Wendy se quedó tan pasmada que exclamó:

—¡No lo sabe!

Y a partir de entonces siempre le pareció que si se pudiera tener un pirata mascota Smee sería el suyo.

Peter la sumergió en el agua, porque Garfio se había levantado, gritando:

—¿Qué ha sido eso?

—Yo no he oído nada —dijo Starkey, levantando el farol por encima de las aguas y mientras los piratas miraban contemplaron una extraña visión. Era el nido del que os he hablado, que flotaba en la laguna y el ave de Nunca Jamás estaba posada en él.

—Mirad —dijo Garfio contestando a la pregunta de Smee—, eso es una madre. ¡Qué lección! El nido debe de haber caído al agua, ¿pero abandonaría la madre los huevos? No.

Se le quebró la voz, como si por un momento recordara tiempos inocentes en que... pero apartó esta debilidad con el garfio.

Smee, muy impresionado, contempló al ave mientras el nido pasaba con la corriente, pero Starkey, más suspicaz, dijo:

—Si es una madre, a lo mejor esta por aquí para ayudar a Peter.

Garfio hizo una mueca.

—Sí —dijo—, ése es el temor que me atormenta.

La voz agitada de Smee lo sacó de su abatimiento.

—Capitán —dijo Smee—, ¿no podríamos raptar a la madre de esos chicos y convertirla en nuestra madre?

—Es un plan estupendo —gritó Garfio y al momento cobró forma factible en su gran cerebro—. Atraparemos a los niños y los llevaremos al barco: a los chicos los pasaremos por la plancha y Wendy será nuestra madre.

Wendy volvió a perder el control.

—¡Jamás! —gritó y se sumergió.

—¿Qué ha sido eso?

Pero no vieron nada. Pensaron que no había sido más que una hoja movida por el viento.

—¿Estáis de acuerdo, muchachotes míos? —preguntó Garfio.

—Aquí está mi mano —dijeron los dos.

—Y aquí está mi garfio. Juremos.

Todos juraron. Para entonces ya estaban en la roca y de pronto Garfio se acordó de Tigridia.

—¿Dónde está la india? —preguntó bruscamente.

A veces tenía ganas de broma y creyeron que ésta era una de esas veces.

—No pasa nada, capitán —contestó Smee complacido—, la hemos soltado.

—¡Que la habéis soltado! —exclamó Garfio.

—Esas fueron sus órdenes —titubeó el contramaestre.

—Usted nos llamó por el agua para que la soltáramos —dijo Starkey.

—Por todos los demonios —vociferó Garfio—, ¿que traición es ésta?

Se le puso la cara negra de rabia, pero se dio cuenta de que estaban convencidos de lo que decían y se sintió alarmado.

—Muchachos —dijo, algo tembloroso—, yo no he dado esa orden.

—Pues es muy raro —dijo Smee y todos se agitaron inquietos. Garfio levantó la voz, pero le salió temblorosa.

—Espíritu que esta noche rondas por esta oscura laguna —gritó—, ¿me oyes?

Como es lógico, Peter debería haberse quedado callado, pero naturalmente no lo hizo. Inmediatamente contestó con la voz de Garfio:

—Por mil diablos tuertos, te oigo.

En ese momento culminante Garfio no se amedrentó, ni siquiera un poquito, pero Smee y Starkey se abrazaron aterrorizados.

—¿Quién eres, desconocido? Habla —exigió Garfio.

—Soy James Garfio —replicó la voz—, capitán del *Jolly Roger.*

—No es cierto, no es cierto —gritó Garfio con voz ronca.

—Por todos los demonios —contestó la voz—, repite eso y te paso por debajo de la quilla.

Garfio probó una actitud más conciliadora.

—Si eres Garfio —dijo casi con humildad—, dime, ¿quién soy yo?

—Un bacalao —replicó la voz—, nada más que un bacalao.

—¡Un bacalao! —repitió Garfio sin comprender y entonces y sólo entonces, su orgullo se desmoronó. Vio cómo sus hombres se apartaban de él.

—¿Nos ha estado dirigiendo un bacalao todo este tiempo? —mascullaron—. Es denigrante para nuestro orgullo.

Sus propios perros se volvían contra él, pero, por muy trágica que se hubiera vuelto su situación, apenas les hizo caso. Ante unas pruebas tan pavorosas no era la confianza de ellos lo que necesitaba, sino la suya propia. Sentía que su ego se le escapaba.

—No me abandones, muchachote —le susurró roncamente.

En aquella oscura personalidad había un toque femenino, como en todos los grandes piratas y éste a veces le daba intuiciones. De pronto optó por jugar a las adivinanzas.

—Garfio —llamó—, ¿tienes otra voz?

Peter jamás podía resistirse a un juego y contestó alegremente con su propia voz:

—Sí.

—¿Y otro nombre?

—Sí.

—¿Vegetal? —preguntó Garfio.

—No.

—¿Mineral?

—No.

—¿Animal?

—Sí.

—¿Hombre?

—¡No! —la respuesta resonó cargada de desprecio.

—¿Niño?

—Sí.

—¿Niño corriente?

—¡No!

—¿Niño maravilloso?

Para disgusto de Wendy la respuesta que se oyó esta vez fue:

—Sí.

—¿Estás en Inglaterra?

—No.

—¿Estás aquí?

—Sí.

Garfio estaba totalmente desconcertado.

—Preguntadle algo vosotros —les dijo a los otros, enjugándose la frente sudorosa.

Smee reflexionó.

—No se me ocurre nada —dijo apesadumbrado.

—No lo saben, no lo saben —canturreó Peter—. ¿Os rendís?

Por supuesto, por vanidad estaba llevando el juego demasiado lejos y los bellacos vieron su oportunidad.

—Sí, sí —contestaron impacientes.

—Pues muy bien —gritó él—, soy Peter Pan.

¡Pan!

Al momento Garfio volvió a ser el de siempre y Smee y Starkey sus fieles secuaces.

—Ya lo tenemos —gritó Garfio—. Al agua, Smee. Starkey, vigila el bote. Cogedlo vivo o muerto.

Daba saltos mientras hablaba y al mismo tiempo se oyó la alegre voz de Peter.

—¿Estáis listos, chicos?

—Sí —contestaron desde diversos puntos de la laguna.

—Pues dadles una paliza a los piratas.

La lucha fue breve y cruenta. El primero en cobrarse una víctima fue John, que subió valientemente al bote y agarró a Starkey. Hubo una dura pelea, en la que al pirata le fue arrebatado el sable. Se tiró por la borda y John saltó tras él. El bote se alejó a la deriva.

Aquí y allá surgía una cabeza en el agua y se veía un destello metálico, seguido de un grito o un alarido. En la confusión algunos atacaban a los de su propio bando. El sacacorchos de Smee hirió a Lelo en la cuarta costilla, pero él fue herido a su vez por Rizos. A mayor distancia de la roca Starkey hacía sudar a Presuntuoso y a los gemelos.

¿Dónde estaba Peter a todo esto? Estaba persiguiendo una presa más grande.

Todos los demás eran chicos valientes y no se les debe echar en cara que se apartaran del capitán pirata. Su garra de hierro trazaba un círculo de muerte en el agua, del que huían como peces asustados.

Pero había uno que no lo temía: uno dispuesto a penetrar en ese círculo.

Por raro que parezca, no fue en el agua donde se encontraron. Garfio se subió a la roca para respirar y en ese mismo momento Peter la escaló por el lado opuesto. La roca estaba resbaladiza como un balón y más bien tenían que arrastrarse en lugar de trepar. Ninguno de los dos sabía que el otro se estaba acercando. Al tantear cada uno buscando un asidero tropezaron con el brazo del contrario: sorprendidos, alzaron la cabeza; sus caras casi se tocaban; así se encontraron.

Algunos de los héroes más grandes han confesado que justo antes de entrar en combate les entró un momentáneo temor. Si en ese momento eso le hubiera ocurrido a Peter yo lo admitiría. Al fin y al cabo, éste era el único hombre al que el Cocinero había temido. Pero a Peter no le dio ningún miedo, sólo sintió una cosa, alegría, y rechinó los bonitos dientes con entusiasmo. Rápido como un rayo le quitó a Garfio un cuchillo del cinturón y estaba a punto de clavárselo, cuando se dio cuenta de que estaba situado en la roca más arriba que su enemigo. No habría sido una lucha justa. Le alargó la mano al pirata para ayudarlo a subir.

Entonces Garfio lo mordió.

No fue el dolor, sino lo injusto del asunto, lo que atontó a Peter. Lo dejó impotente. Sólo podía mirar, horrorizado. Todos los niños reaccionan así la primera vez que los tratan con injusticia. A lo único que piensan que tienen derecho cuando se le acercan a uno de buena fe es a un trato justo. Después de que uno haya sido injusto con ellos seguirán queriéndolo, pero después nunca volverán a ser los mismos. Nadie supera la primera injusticia: nadie excepto Peter. Se topaba a menudo con ella, pero siempre se le olvidaba. Supongo que ésa era la auténtica diferencia entre todos los demás y él.

De forma que cuando ahora se encontró con ello fue como la primera vez y lo único que pudo hacer fue quedarse boquiabierto, impotente. La mano de hierro lo golpeó dos veces.

Pocos minutos después los demás chicos vieron a Garfio en el agua nadando frenéticamente hacia el barco; su cara pestilente ya no estaba llena de regocijo, sólo blanca de miedo, pues el cocodrilo le venía pisando los talones. En una ocasión normal los chicos habrían nadado al lado soltando gritos de entusiasmo, pero ahora se sentían inquietos, porque habían perdido tanto a Peter como a Wendy y estaban recorriendo la laguna buscándolos, gritando sus nombres. Encontraron el bote y regresaron a casa en él, gritando «Peter, Wendy» por el camino, pero no se oía ninguna respuesta salvo la risa burlona de las sirenas.

—Deben de estar volviendo a nado o por el aire —decidieron los chicos. No estaban muy preocupados, por la fe que tenían en Peter. Se echaron a reir, como niños que eran, al pensar que se irían tarde a la cama ¡y todo por culpa de mamá Wendy!

Cuando sus voces se apagaron cayó un frío silencio sobre la laguna y entonces se oyó un débil grito.

—¡Socorro, socorro!

Dos figuritas golpeaban contra la roca; la chica había perdido el conocimiento y yacía en los brazos del chico. Con un último esfuerzo Peter la subió a la roca y luego se echó junto a ella. En el momento en que también él se desmayaba vio que el agua estaba subiendo. Supo que pronto estarían ahogados, pero no podía hacer más.

Mientras yacían el uno junto al otro una sirena agarró a Wendy de los pies y se puso a tirar de ella suavemente hacia el agua. Peter, al sentir que se soltaba de él, volvió en sí de golpe y llegó justo a tiempo de rescatarla. Pero tenía que decirle la verdad.

—Estamos en la roca, Wendy —dijo—, pero se está cubriendo. El agua no tardará en cubrirla del todo.

Ni siquiera entonces lo entendió ella.

—Tenemos que irnos —dijo casi con animación.

—Sí —respondió él débilmente.

—¿Nadamos o volamos, Peter?

No le quedó más remedio que decírselo.

—Wendy, ¿crees que podrías nadar o volar hasta la isla sin mi ayuda?

Ella tuvo que admitir que estaba demasiado cansada.

El soltó un gemido.

—¿Qué te ocurre? —preguntó ella, preocupada por él al instante.

—No te puedo ayudar, Wendy. Garfio me ha herido. No puedo ni volar ni nadar.

—¿Quieres decir que nos vamos a ahogar los dos?

—Mira cómo sube el agua.

Se taparon los ojos con las manos para evitar aquella visión. Pensaron que no tardarían en morir. Mientras estaban así sentados una cosa rozó a Peter con la levedad de un beso y se quedó allí, como preguntando tímidamente: «¿Puedo servir para algo?»

Era la cola de una cometa, que Michael había construido unos días antes. Se le había escapado de las manos y se había alejado volando.

—La cometa de Michael —dijo Peter con indiferencia, pero un momento después la tenía agarrada por la cola y tiraba de la cometa hacia él.

—Levantó a Michael del suelo —exclamó—, ¿por qué no podría llevarte a ti?

—¡A los dos!

—No puede levantar a dos personas, Michael y Rizos lo intentaron.

—Echémoslo a suertes —dijo Wendy con valentía.

—¿Una dama como tú? Ni hablar.

Ya le había atado la cola alrededor. Ella se aferró a él: se negaba a partir sin él, pero con un «Adiós, Wendy», la apartó de un empujón de la roca y a los pocos minutos desapareció de su vista por los aires. Peter se quedó solo en la laguna.

La roca era muy pequeña ya, pronto quedaría sumergida. Unos pálidos rayos de luz se deslizaron por las aguas y luego se oyó un sonido que al mismo tiempo era el más musical y el más triste del mundo: las sirenas cantando a la luna.

Peter no era como los demás chicos, pero por fin sentía miedo. Le recorrió un estremecimiento, como un temblor que pasara por el mar, pero en el mar un temblor sucede a otro hasta que hay cientos de ellos y Peter sintió solamente ése. Al momento siguiente estaba de nuevo erguido sobre la roca, con esa sonrisa en la cara y un redoble de tambores en su interior. Este le decía: «Morir será una aventura impresionante.»

9. El ave de Nunca Jamás

Lo último que oyó Peter antes de quedarse solo fue a las sirenas retirándose una tras otra a sus dormitorios submarinos. Estaba demasiado lejos para oir cómo se cerraban sus puertas, pero cada puerta de las cuevas de coral donde viven hace sonar una campanita cuando se abre o se cierra (como en las casas más elegantes del mundo real) y sí que oyó las campanas.

Las aguas fueron subiendo sin parar hasta tocarle los pies y para pasar el rato hasta que dieran el trago final, contempló lo único que se movía en la laguna. Pensó que era un trozo de papel flotante, quizás parte de la cometa y se preguntó distraído cuánto tardaría en llegar a la orilla.

Al poco notó con extrañeza que sin duda estaba en la laguna con algún claro propósito, ya que estaba luchando contra la marea y a veces lo lograba y cuando lo lograba, Peter, siempre de parte del bando más débil, no podía evitar aplaudir: qué trozo de papel tan valiente.

En realidad no era un trozo de papel: era el ave de

Nunca Jamás, que hacía esfuerzos denodados por llegar hasta Peter en su nido. Moviendo las alas, con una técnica que había descubierto desde que el nido cayó al agua, podía hasta cierto punto gobernar su extraña embarcación, pero para cuando Peter la reconoció estaba ya muy agotada. Había venido a salvarlo, a darle su nido, aunque tenía huevos dentro. La actitud del ave me extraña bastante, porque aunque Peter se había portado bien con ella, también a veces la había martirizado. Me imagino que, al igual que la señora Darling y todos los demás, se había enternecido porque conservaba todos los dientes de leche.

Le explicó a gritos por qué había venido y él le preguntó a gritos qué estaba haciendo allí, pero por supuesto ninguno de los dos entendía el lenguaje del otro. En las historias imaginarias las personas pueden hablar con los pájaros sin problemas y en este momento desearía poder fingir que ésta es una historia de ese tipo y decir que Peter contestó con inteligencia al ave de Nunca Jamás, pero es mejor decir la verdad y sólo quiero contar lo que pasó en realidad. Pues bien, no sólo no podían entenderse, sino que además acabaron por perder la compostura.

—Quiero-que-te-metas-en-el-nido- —gritó el ave, hablando lo más claro y despacio posible—, y-así-podrás-llegar -a-la- orilla,   pero-estoy-demasiado-cansada-para-acercarlo-más-así-que-tienes-que-tratar-de-nadar-hasta-aquí.

—¿Qué estás graznando? —respondió Peter—. ¿Por qué no dejas que el nido flote como siempre?

—Quiero-que —dijo el ave y lo volvió a repetir todo.

Entonces Peter trató de hablar claro y despacio.

—¿Qué-estás-graznando? —y todo lo demás.

El ave de Nunca Jamás se enfadó: tienen muy mal genio.

—Pedazo de zoquete —chilló—, ¿por qué no haces lo que te digo?

A Peter le dio la impresión de que lo estaba insultando y se arriesgó a replicar con vehemencia:

—¡Eso lo serás tú!

Entonces, curiosamente, los dos soltaron la misma frase:

—¡Cállate!

—¡Cállate!

No obstante, el ave estaba decidida a salvarlo si podía y con un último y fenomenal esfuerzo arrimó el nido a la roca. Entonces levantó el vuelo, abandonando sus huevos, para hacer clara su intención.

Entonces por fin lo entendió él y agarró el nido y saludó dando las gracias al ave mientras ésta revoloteaba por encima. Sin embargo, no era por recibir su agradecimiento por lo que flotaba en el cielo, ni siquiera era para ver cómo se metía en el nido: era para ver qué hacía con los huevos.

Había dos grandes huevos blancos y Peter los cogió y reflexionó. El ave se tapó la cara con las alas, para no ver el fin de sus huevos, pero no pudo evitar atisbar por entre las plumas.

No recuerdo si os he dicho que había un palo en la roca, clavado hacía mucho tiempo por unos bucaneros para marcar el lugar donde estaba enterrado un tesoro. Los niños habían descubierto el reluciente botín y cuando tenían ganas de travesuras se dedicaban a lanzar lluvias de moidores, diamantes, perlas y monedas de cobre a las gaviotas, que se precipitaban sobre ellos creyendo que era comida y luego se alejaban volando, rabiando por la faena que les habían hecho. El palo seguía allí y en él había colgado Starkey su sombrero, un encerado hondo e impermeable, de ala muy ancha. Peter metió los huevos en este sombrero y lo echó a la laguna. Flotaba perfectamente.

El ave de Nunca Jamás se dio cuenta al instante de lo que pretendía y le soltó un chillido de admiración y, ay, Peter graznó mostrando su acuerdo. Luego se metió en el nido, colocó en él el palo como un mástil y colgó su camisa como vela. En ese mismo momento el ave bajó volando hasta el sombrero y una vez más se posó confortablemente sobre sus huevos. Se fue a la deriva en una dirección y Peter se alejó flotando en otra, ambos soltando gritos de júbilo.

Por supuesto, cuando Peter llegó a tierra varó su embarcación en un lugar donde el ave pudiera encontrarla fácilmente, pero el sombrero funcionaba tan bien que ésta abandonó el nido. Este fue flotando a la deriva hasta hacerse trizas y Starkey llegaba a menudo a la orilla de la laguna y, lleno de amargura, contemplaba al ave sentada en su sombrero. Como ya no volveremos a verla, puede que merezca la pena comentar que ahora todos los pájaros de Nunca Jamás construyen sus nidos con esa forma, con un ala ancha en la que toman el aire los polluelos.

Hubo gran alegría cuando Peter llegó a la casa subterránea casi tan pronto como Wendy, a quien la cometa había llevado de un lado a otro. Cada uno de los chicos tenía una aventura que contar, pero quizás la aventura más grande de todas fuera que se les había pasado con mucho la hora de irse a la cama. Esto los envalentonó tanto que intentaron diversos trucos para conseguir quedarse levantados aún más tiempo, tales como pedir vendas, pero Wendy, aunque se regocijaba de tenerlos a todos de nuevo en casa sanos y salvos, estaba escandalizada por lo tarde que era y exclamó: «A la cama, a la cama» en un tono que no quedaba más remedio que obedecer. Sin embargo, al día siguiente estuvo cariñosísima y les puso vendas a todos y estuvieron jugando hasta la hora de acostarse a andar cojeando y llevar el brazo en cabestrillo.

Una consecuencia importante de la escaramuza de la laguna fue que los pieles rojas se hicieron sus amigos. Peter había salvado a Tigridia de un horrible destino y ahora no había nada que sus bravos y ella no estuvieran dispuestos a hacer por él. Se pasaban toda la noche sentados arriba, vigilando la casa subterránea y esperando el gran ataque de los piratas que evidentemente ya no podía tardar mucho en producirse. Incluso de día rondaban por ahí, fumando la pipa de la paz y con el aire más amistoso del mundo.

Llamaban a Peter el Gran Padre Blanco y se postraban ante él y esto le gustaba muchísimo, por lo que realmente no le hacía ningún bien.

—El Gran Padre Blanco —les decía con aires de grandeza, mientras se arrastraban a sus pies—, se alegra de ver que los guerreros piccaninnis protegen su tienda de los piratas.

—Yo Tigridia —replicaba la hermosa muchacha—.

Peter Pan salvarme, yo buena amiga suya. Yo no dejar que piratas hacerle daño.

Era demasiado bonita para rebajarse de tal forma, pero Peter pensaba que se lo debía y respondía con tono de superioridad.

—Está bien. Peter Pan ha hablado.

Siempre que decía «Peter Pan ha hablado», quería decir que ahora ellos se tenían que callar y ellos lo aceptaban humildemente con esa actitud, pero no eran ni mucho menos tan respetuosos con los demás chicos, a quienes consideraban unos bravos corrientes. Les decían: «¿Qué tal?» y cosas así y lo que fastidiaba a los chicos era que daba la impresión de que a Peter esto le parecía lo correcto.

En el fondo Wendy los compadecía un poco, pero era un ama de casa demasiado leal para escuchar quejas contra el padre.

—Papá sabe lo que más conviene —decía siempre, fuera cual fuera su propia opinión. Su propia opinión era que los pieles rojas no deberían llamarla «squaw»*.

Ya hemos llegado a la noche que sería conocida entre ellos como la Noche entre las Noches, por sus aventuras y el resultado de éstas. El día, como si estuviera reuniendo fuerzas calladamente, había transcurrido casi sin incidentes y ahora los pieles rojas envueltos en sus mantas se encontraban en sus puestos de arriba, mientras que, abajo, los niños estaban cenando, todos menos Peter, que había salido para averiguar la hora. La manera de averiguar la hora en la isla era encontrar al cocodrilo y entonces quedarse cerca de él hasta que el reloj diera la hora.

Daba la casualidad de que esta cena era un té imaginario y

---

* Así llaman los pieles rojas a sus mujeres (N. de la T.)

estaban sentados alrededor de la mesa, engullendo con glotonería y, la verdad, con toda la charla y las recriminaciones, el ruido, como dijo Wendy, era absolutamente ensordecedor. Claro, que a ella no le importaba el ruido, pero no estaba dispuesta a tolerar que se pegaran y luego se disculparan diciendo que Lelo les había empujado el brazo. Había una norma establecida por la que jamás debían devolverse los golpes durante las comidas, sino que debían remitir el motivo de la disputa a Wendy levantando cortésmente el brazo derecho y diciendo: «Quiero quejarme de Fulanito», pero lo que normalmente ocurría era que se olvidaban de hacerlo o lo hacían demasiado.

—Silencio —gritó Wendy cuando les hubo dicho por enésima vez que no debían hablar todos al mismo tiempo—. ¿Te has bebido ya la calabaza, Presuntuoso, mi amor?

—No del todo, mamá —dijo Presuntuoso, depués de mirar una taza imaginaria.

—Ni siquiera ha empezado a beberse la leche —cortó Avispado.

Esto era acusar y Presuntuoso aprovechó la oportunidad.

—Quiero quejarme de Avispado —exclamó rápidamente.

Pero John había levantado la mano primero.

—¿Sí, John?

—¿Puedo sentarme en la silla de Peter, ya que no está?

—¡John! ¡Sentarte en la silla de papá! —se escandalizó Wendy—. Por supuesto que no.

—No es nuestro padre de verdad —contestó John—. Ni siquiera sabía cómo se comporta un padre hasta que yo se lo enseñé.

Aquello era protestar.

—Queremos quejarnos de John —gritaron los gemelos.

Lelo levantó la mano. Era con tanta diferencia el más humilde de todos, en realidad el único humilde, que Wendy era especialmente cariñosa con él.

—Supongo —dijo Lelo con timidez—, que yo no podría hacer de papá, ¿verdad?

—No, Lelo.

Una vez que Lelo empezaba, lo cual no ocurría muy a menudo, seguía como un tonto.

—Ya que no puedo ser papá —dijo torpemente—, no creo que tú me dejaras ser el bebé, ¿verdad, Michael?

—No, no me da la gana —soltó Michael. Ya estaba en su cesta.

—Ya que no puedo ser el bebé —dijo Lelo, cada vez más torpe—, ¿creéis que podría ser un gemelo?

—Claro que no —replicaron los gemelos—, es dificilísimo ser gemelo.

—Ya que no puedo ser nada importante —dijo Lelo—, ¿os gustaría verme hacer un truco?

—No —replicaron todos.

Entonces por fin lo dejó.

—En realidad no tenía ninguna esperanza —dijo.

Las odiosas acusaciones se desataron de nuevo.

—Presuntuoso está tosiendo en la mesa.

—Los gemelos han empezado con frutos de mamey.

—Rizos está comiendo rollos de tapa y batatas.

—Avispado está hablando con la boca llena.

—Quiero quejarme de los gemelos.

—Quiero quejarme de Rizos.

—Quiero quejarme de Avispado.

—Dios mió, Dios mío —exclamó Wendy—. Estoy convencida de que a veces los hijos son más un problema que una bendición.

Les dijo que recogieran y se sentó con la cesta de la

labor: como de costumbre, un montón de calcetines y todas las rodillas agujereadas.

—Wendy —protestó Michael—, soy demasiado grande para una cuna.

—Tengo que tener a alguien en una cuna —dijo ella casi con aspereza—, y tú eres el más pequeño. Es de lo más hogareño tener una cuna en casa.

Mientras cosía se pusieron a jugar a su alrededor, formando un grupo de caras alegres y piernas y brazos danzantes iluminados por aquella romántica lumbre. Había llegado a convertirse en una escena muy familiar en la casa subterránea, pero la estamos contemplando por última vez.

Se oyó una pisada arriba y os aseguro que Wendy fue la primera en reconocerla.

—Niños, oigo los pasos de vuestro padre. Le gusta que lo recibáis en la puerta.

Arriba, los pieles rojas estaban arrodillados ante Peter.

—Vigilad bien, valientes, he dicho.

Y luego, como tantas otras veces, los alegres niños lo sacaron a rastras de su árbol. Como tantas otras veces, pero ya nunca más.

Había traído nueces para los chicos así como la hora exacta para Wendy.

—Peter, los estás malcriando, ¿sabes? —dijo Wendy con la baba caída.

—Sí, mujer —dijo Peter, colgando su rifle.

—Fui yo quien le dijo que a las madres se las llama mujer —le susurró Michael a Rizos.

—Quiero quejarme de Michael —dijo Rizos al instante.

El primer gemelo se acercó a Peter.

—Papá, queremos bailar.

—Pues baila, baila, jovencito —dijo Peter, que estaba de muy buen humor.

—Pero queremos que tú bailes.

En realidad Peter era el mejor bailarín de todos ellos, pero fingió escandalizarse.

—¡Yo! Pero si ya no estoy para esos trotes.

—Y mamá también.

—¡Cómo! —exclamó Wendy—. ¡Yo, madre de toda esta caterva de chiquillos, que me ponga a bailar!

—Pero en un sábado por la noche... —insinuó Presuntuoso.

En realidad no era sábado por la noche, aunque podría haberlo sido, ya que hacía tiempo que habían perdido la cuenta de los días, pero siempre que querían hacer algo especial decían que era sábado por la noche y entonces lo hacían.

—Claro, que es sábado por la noche, Peter —dijo Wendy, cediendo.

—Unas personas de nuestra posición, Wendy.

—Pero es sólo delante de nuestra propia prole.

—Cierto, cierto.

Así que se les dio permiso para bailar, aunque primero debían ponerse el pijama.

—Bueno, mujer —le dijo Peter a Wendy en un aparte, calentándose junto al fuego y contemplándola mientras ella remendaba un talón—, no hay nada más agradable para ti y para mí por la noche, cuando las faenas del día han acabado, que descansar junto al fuego con los pequeños cerca.

—Es bonito, Peter, ¿verdad? —dijo Wendy, enormemente complacida—. Peter, creo que Rizos ha sacado tu nariz.

—Pues Michael se parece a ti.

Ella se acercó a él y le puso la mano en el hombro.

—Querido Peter —dijo—, con una familia tan grande, como es lógico, ya no estoy tan bien como antes, pero no deseas cambiarme, ¿verdad?

—No, Wendy.

Claro que no deseaba un cambio, pero la miró inquieto, parpadeando, ¿sabéis? Como si no estuviera seguro de estar despierto o dormido.

—Peter, ¿qué te pasa?

—Estaba pensando —dijo él, un poco asustado—. Es mentira que yo sea su padre, ¿verdad?

—Oh, sí —dijo Wendy remilgadamente.

—Es que —continuó él como excusándose—, ser su padre de verdad me haría sentirme tan viejo.

—Pero son nuestros, Peter, tuyos y míos.

—Pero no de verdad, ¿no, Wendy? —preguntó angustiado.

—Si no lo deseas, no —replicó ella y oyó claramente el suspiro de alivio que soltó él.

—Peter —le preguntó, tratando de hablar con voz firme—, ¿cuáles son tus sentimientos concretos hacia mí?

—Los de un hijo fiel, Wendy.

—Me lo figuraba —dijo ella y fue a sentarse al otro extremo de la habitación.

—Qué rara eres —dijo él, francamente desconcertado—, y Tigridia es igual. Dice que quiere ser algo mío, pero no mi madre.

—No, claro que no —replicó Wendy con tremendo énfasis. Ahora ya sabemos por qué tenía prejuicios contra los pieles rojas.

—¿Entonces, qué?

—Eso no lo debe decir una dama.

—Pues muy bien —dijo Peter, algo molesto—. A lo mejor me lo dice Campanilla.

—Sí, Campanilla te lo dirá —contestó Wendy con desprecio—. No tiene modales.

Entonces Campanilla, que estaba en su tocador, escuchando a escondidas, chilló algo con insolencia.

—Dice que le encanta no tener modales —tradujo Peter.

De pronto se le ocurrió una idea.

—¿A lo mejor Campanilla quiere ser mi madre?

—¡Cretino! —gritó Campanilla enfurecida.

Lo decía tan a menudo que a Wendy no le hizo falta traducción.

—Casi estoy de acuerdo con ella —soltó Wendy. Imaginaos, Wendy hablando con brusquedad. Pero ya había sufrido mucho y no tenía la menor idea de lo que iba a pasar antes de que terminara la noche. Si lo hubiera sabido no habría hablado con brusquedad.

Ninguno de ellos lo sabía. Quizás fue mejor no saberlo. Su ignorancia les dio una hora más de felicidad y como iba a ser su última hora en la isla, alegrémonos de que tuviera sesenta minutos. Cantaron y bailaron en pijama. Era una canción deliciosamente horripilante, en la que fingían asustarse de sus propias sombras: qué poco sospechaban que bien pronto se les echarían encima unas sombras ante las que se encogerían con auténtico temor. ¡Qué baile tan divertidísimo y cómo se empujaban en la cama y fuera de ella! Era más bien una pelea de almohadas que un baile y cuando se terminó, las almohadas se empeñaron en volver a ello una vez más, como compañeros que saben que puede que jamás se vuelvan a ver. ¡Qué historias se contaron, antes de que fuera la hora del cuento de buenas noches de Wendy! Incluso Presuntuoso trató de contar un cuento aquella noche, pero el principio era tan enormemente aburrido que incluso él mismo se quedó horrorizado y dijo con tristeza:

—Sí, es un principio aburrido. Mirad, hagamos como que es el final.

Y entonces por fin se metieron todos en la cama para escuchar el cuento de Wendy, el que más les gustaba, el que Peter aborrecía. Por lo general cuando se ponía a contar este cuento él se iba de la habitación o se tapaba los oídos con las manos y posiblemente si esta vez hubiera hecho una de estas cosas puede que todavía estuvieran en la isla. Pero esta noche se quedó en su asiento y veremos lo que sucedió.

11. El cuento de Wendy

—A ver, escuchad —dijo Wendy, acomodándose para el relato, con Michael a los pies y siete chicos en la cama—. Había una vez un señor...

—Yo preferiría que fuera una señora —dijo Rizos.

—Y yo que fuera una rata blanca —dijo Avispado.

—Silencio —los reprendió su madre—. También había una señora y...

—Oh, mamá —exclamó el primer gemelo—, quieres decir que también hay una señora, ¿verdad? No está muerta, ¿verdad?

—Oh, no.

—Cómo me alegro de que no esté muerta —dijo Lelo—. ¿No te alegras, John?

—Claro que sí.

—¿No te alegras, Avispado?

—Bastante.

—¿No os alegráis, Gemelos?

—Nos alegramos.

—Dios mío —suspiró Wendy.

—A ver si hacemos menos ruido —exclamó Peter, dispuesto a que las cosas le fueran bien a Wendy, por muy espantoso que le pareciera el cuento a él.

—El señor —continuó Wendy—, era el señor Darling y ella era la señora Darling.

—Yo los conocía —dijo John, para fastidiar a los demás.

—Yo creo que los conocía —dijo Michael no muy convencido.

—Estaban casados, ¿sabéis? —explicó Wendy—, ¿y qué os imagináis que tenían?

—Ratas blancas —exclamo Avispado con gran inspiración.

—No.

—Qué misterio —dijo Lelo, que se sabía el cuento de memoria.

—Calla, Lelo. Tenían tres descendientes.

—¿Qué son descendientes?

—Bueno, pues tú eres uno, Gemelo.

—¿Oyes eso, John? Soy un descendiente.

—Los descendientes no son más que niños —dijo John.

—Dios mío, Dios mío —suspiró Wendy—. Veamos, estos tres niños tenían una fiel niñera llamada Nana, pero el señor Darling se enfadó con ella y la ató en el patio y por eso los niños se escaparon volando.

—Qué historia tan buena —dijo Avispado.

—Se escaparon volando —continuó Wendy—, al País de Nunca Jamás, donde están los niños perdidos.

—Eso es lo que yo pensaba —interrumpió Rizos emocionado—. No sé cómo, pero eso es lo que yo pensaba.

—Oh, Wendy —exclamó Lelo—, ¿se llamaba Lelo alguno de los niños perdidos?

—Sí, así es.

—Estoy en un cuento. Hurra, estoy en un cuento, Avispado.

—Silencio. Bueno, quiero que penséis en lo que sintieron los desdichados padres al ver que todos sus niños se habían escapado.

—¡Ay! —gimieron todos, aunque en realidad no estaban pensando ni lo más mínimo en lo que sentían los desdichados padres.

—¡Imaginaos las camas vacías!

—¡Ay!

—Es tristísimo —dijo el primer gemelo alegremente.

—No me imagino que pueda acabar bien —dijo el segundo gemelo—. ¿Y tú, Avispado?

—Estoy preocupadísimo.

—Si supiérais lo maravilloso que es el amor de una madre —les dijo Wendy en tono de triunfo—, no tendríais miedo.

Había llegado ya a la parte que Peter aborrecía.

—A mí sí que me gusta el amor de una madre —dijo Lelo, golpeando a Avispado con una almohada—. ¿A ti te gusta el amor de una madre, Avispado?

—Ya lo creo —dijo Avispado, devolviéndole el golpe.

—Veréis —dijo Wendy complacida—, nuestra heroína sabía que la madre dejaría siempre la ventana abierta para que sus niños regresaran volando por ella, así que estuvieron fuera durante años y se lo pasaron estupendamente.

—¿Llegaron a volver?

—Ahora —dijo Wendy, preparándose para el esfuerzo más delicado—, echemos un vistazo al futuro.

Y todos se giraron de la forma que hace que los vistazos al futuro resulten más fáciles.

—Han pasado los años ¿y quién es esa señora de edad indeterminada que se apea en la Estación de Londres?

—Oh, Wendy, ¿quién es? —exclamó Avispado, tan emocionado como si no lo supiera.

—Puede ser... sí... no... es... ¡la bella Wendy!

—¡Oh!

—¿Y quiénes son los dos nobles y orondos personajes que la acompañan, ahora ya hechos hombres? ¿Pueden ser John y Michael? ¡Sí!

—¡Oh!

—«Mirad, queridos hermanos», dice Wendy, señalando hacia arriba, «ahí sigue la ventana abierta. Ah, ahora nos vemos recompensados por nuestra fe sublime en el amor de una madre.» De forma que subieron volando hasta su mamá y su papá y no hay pluma que pueda describir la feliz escena, sobre la que corremos un velo.

Eso era un cuento y se sentían tan satisfechos con él como la bella narradora. Es que todo era como debía ser. Nos escabullimos como los seres más crueles del mundo, que es lo que son los niños, aunque muy atractivos, y pasamos un rato totalmente egoísta y cuando necesitamos atenciones especiales regresamos noblemente a buscarlas, seguros de que nos abrazarán en lugar de pegarnos.

Efectivamente, tan grande era su fe en el amor de una madre que pensaban que podían permitirse ser crueles un poco más.

Pero había alguien que tenía más claras las cosas y cuando Wendy terminó soltó un sordo gemido.

—¿Qué te pasa, Peter? —exclamó ella, corriendo hasta él, creyendo que estaba enfermo. Lo palpó solícita más abajo del pecho.

—¿Dónde te duele, Peter?

—No es esa clase de dolor —replicó Peter lúgubremente.

—¿Entonces de qué clase es?

—Wendy, estás equivocada con respecto a las madres.

Se agruparon asustados a su alrededor, tan alarmante era su inquietud y con total franqueza él les contó lo que hasta entonces había mantenido oculto.

—Hace mucho tiempo —dijo—, yo creía como vosotros que mi madre me dejaría la ventana abierta, así que estuve fuera durante lunas y lunas y lunas y luego regresé volando, pero la ventana estaba cerrada, porque mamá se había olvidado de mí y había otro niño durmiendo en mi cama.

No estoy seguro de que esto fuera cierto, pero Peter lo creía y los asustó.

—¿Estás seguro de que las madres son así?

—Sí.

Así que ésta era la verdad sobre las madres. ¡Las muy canallas!

Aún así es mejor tener cuidado y nadie sabe tan deprisa como un niño cuándo debe ceder.

—Wendy, vámonos a casa —gritaron John y Michael al tiempo.

—Sí —dijo ella, abrazándolos.

—No será esta noche, ¿verdad? —preguntaron perplejos los niños perdidos. Sabían en lo que llamaban el fondo de su corazón que uno puede arreglárselas muy bien sin una madre y que sólo son las madres las que piensan que no es así.

—Ahora mismo —replicó Wendy decidida, pues se le había ocurrido una idea espantosa: «A lo mejor mamá está ya de medio luto.»

Este temor le hizo olvidarse de lo que debía de estar sintiendo Peter y le dijo en tono bastante cortante:

—Peter, ¿te ocupas de hacer los preparativos necesarios?

—Si es lo que deseas —replicó él con la misma frialdad que si le hubiera pedido que le pasara las nueces.

¡Ni decirse un «siento perderte»! Si a ella no le importaba la separación, él, Peter, le iba a demostrar que a él tampoco.

Pero, por supuesto, le importaba mucho y estaba tan

lleno de ira contra los adultos, quienes, como de costumbre, lo estaban echando todo a perder, que nada más meterse en su árbol tomó a propósito aliento en inspiraciones cortas y rápidas a un ritmo de unas cinco por segundo. Lo hizo porque hay un dicho en el País de Nunca Jamás según el cual cada vez que uno respira, muere un adulto y Peter los estaba matando en venganza lo más deprisa posible.

Después de haber dado las instrucciones necesarias a los pieles rojas regresó a la casa, donde se había desarrollado una escena indigna durante su ausencia. Aterrorizados ante la idea de perder a Wendy, los niños perdidos se habían acercado a ella amenazadoramente.

—Será peor que antes de que viniera —gritaban.

—No la dejaremos marchar.

—Hagámosla prisionera.

—Eso, atadla.

En tal apuro un instinto le dijo a cuál de ellos recurrir.

—Lelo —gritó—, te lo ruego.

¿No es extraño? Recurrió a Lelo, el más tonto de todos.

Sin embargo, Lelo respondió con grandeza. Porque en ese momento dejó su estupidez y habló con dignidad.

—Yo no soy más que Lelo —dijo—, y nadie me hace caso. Pero al primero que no se comporte con Wendy como un caballero inglés le causaré serias heridas.

Desenvainó su acero y en ese instante Lelo brilló con luz propia. Los demás retrocedieron intranquilos. Entonces regresó Peter y se dieron cuenta al momento de que él no los apoyaría. Jamás obligaría a una chica a quedarse en el País de Nunca Jamás en contra de su voluntad.

—Wendy —dijo, paseando de un lado a otro—, les he pedido a los pieles rojas que te guíen a través del bosque, ya que volar te cansa mucho.

—Gracias, Peter.

—Luego —continuó con el tono tajante de quien está acostumbrado a ser obedecido—, Campanilla te llevará a través del mar. Despiértala, Avispado.

Avispado tuvo que llamar dos veces antes de obtener respuesta, aunque Campanilla llevaba ya un rato sentada en la cama escuchando.

—¿Quién eres? ¿Cómo te atreves? Fuera —gritó.

—Tienes que levantarte, Campanilla —le dijo Avispado—, y llevar a Wendy de viaje.

Por supuesto, a Campanilla le había encantado enterarse de que Wendy se iba, pero estaba más que decidida a no ser su guía y así lo expresó con un lenguaje aún más insultante. Luego fingió haberse dormido de nuevo.

—Dice que no le da la gana —exclamó Avispado, horrorizado ante tal insubordinación, por lo que Peter se acercó severo al aposento de la joven.

—Campanilla —espetó—, si no te levantas y te vistes ahora mismo abriré las cortinas y todos te veremos en *négligé*.

Esto le hizo saltar al suelo.

—¿Quién ha dicho que no me iba a levantar? —gritó.

Entretanto los chicos contemplaban muy tristes a Wendy, que ya estaba equipada para el viaje con John y Michael. Para entonces se sentían abatidos, no sólo porque estaban a punto de perderla, sino además porque les parecía que iba a encontrarse con algo agradable a lo que ellos no habían sido invitados. Como de costumbre la novedad los atraía.

Atribuyéndoles unos sentimientos más nobles, Wendy se ablandó.

—Queridos —dijo—, si queréis venir conmigo estoy casi segura de que puedo hacer que mi padre y mi madre os adopten.

La invitación iba dirigida especialmente a Peter, pero

cada chico pensaba exclusivamente en sí mismo y al momento se pusieron a dar saltos de alegría.

—¿Pero no pensarán que somos muchos? —preguntó Avispado a medio salto.

—Oh, no —dijo Wendy, calculando rápidamente—, simplemente habrá que poner unas cuantas camas en el salón: se pueden tapar con biombos en días de visita.

—Peter, ¿podemos ir? —exclamaron todos suplicantes. Daban por supuesto que si ellos se iban él también se iría, pero la verdad es que les importaba muy poco. Así es cómo los niños están siempre dispuestos, cuando aparece una novedad, a abandonar a sus seres más queridos.

—Está bien —replicó Peter sonriendo con amargura e inmediatamente corrieron a recoger sus cosas.

—Y ahora, Peter —dijo Wendy, pensando que ya lo había arreglado todo—, voy a darte tu medicina antes de que te vayas.

Le encantaba darles medicinas y sin duda les daba demasiadas. Naturalmente, no era más que agua, pero la servía de una calabaza y siempre agitaba la calabaza y contaba las gotas, lo cual le daba cierta categoría medicinal. En esta ocasión, sin embargo, no le dio a Peter esta dosis, pues nada más prepararla, le vio una expresión en la cara que la desanimó.

—Prepara tus cosas, Peter —exclamó, temblando.

—No —contestó él, fingiendo indiferencia—, yo no voy con vosotros, Wendy.

—Sí, Peter.

—No.

Para demostrar que su marcha lo iba a dejar impasible, se puso a brincar por la habitación, tocando alegremente su cruel flauta. Ella tuvo que ir detrás de él, aunque resultara bastante poco digno.

—Para encontrar a tu madre —dijo engatusadora.

Pero si Peter había tenido alguna vez una madre, ya no

la echaría de menos. Podía arreglárselas muy bien sin una. Había pensado sobre ellas y sólo recordaba sus defectos.

—No, no —le dijo a Wendy terminantemente—, a lo mejor dice que soy mayor y yo sólo quiero ser siempre un niño y divertirme.

—Pero, Peter...

—No.

Y por eso hubo de decírselo a los demás.

—Peter no viene.

¡Que Peter no venía! Lo miraron sin comprender, con el palo echado al hombro y en cada palo un petate. Lo primero que pensaron fue que si Peter no iba probablemente habría cambiado de opinión con respecto a dejarlos marchar.

Pero él era demasiado orgulloso para eso.

—Si encontráis a vuestras madres —dijo lúgubremente—, espero que os gusten.

El gran cinismo de sus palabras les causó una sensación incómoda y casi todos empezaron a dar muestras de inseguridad. Después de todo, delataban sus expresiones, ¿acaso no eran unos tontos por quererse marchar?

—Bueno, bueno —exclamó Peter—, nada de escenas. Adiós, Wendy.

Y le ofreció la mano alegremente, como si realmente tuvieran que irse ya, porque él tenía algo importante que hacer.

Ella tuvo que cogerle la mano, ya que no daba señales de preferir un dedal.

—Te acordarás de cambiarte la ropa interior, ¿verdad, Peter? —dijo, sin prisas por dejarlo. Siempre había sido muy particular con lo de la ropa interior.

—Sí.

—¿Y te tomarás la medicina?

—Sí.

No parecía que hubiera nada más que decir y se hizo

un silencio tenso. Sin embargo, Peter no era de los que se
derrumban delante de la gente.

—¿Estás preparada, Campanilla? —exclamó.

—Sí.

—Pues muestra el camino.

Campanilla subió disparada por el arbol más cercano,
pero nadie la siguió, ya que fue en ese momento cuando
los piratas desataron su tremendo ataque sobre los pieles
rojas. Arriba, donde todo había estado tan tranquilo, el
aire se llenó de alaridos y del choque de las armas. Abajo,
había un silencio total. Las bocas se abrieron y se quedaron abiertas. Wendy cayó de rodillas, pero tendió los
brazos hacia Peter. Todos los brazos estaban tendidos
hacia él, como si de pronto un viento los hubiera llevado
en esa dirección: le rogaban sin palabras que no los
abandonara. En cuanto a Peter, tomó su espada, la misma
con la que creía haber matado a Barbacoa, y sus ojos
relampaguearon con el ansia de batalla.

12. El rapto de los niños

El ataque pirata había sido una total sorpresa: una buena prueba de que el desaprensivo Garfio lo había llevado a cabo deshonestamente, pues sorprender a los pieles rojas limpiamente es algo que no entra en la capacidad del hombre blanco.

Según todas las leyes no escritas sobre la guerra salvaje siempre es el piel roja el que ataca y con la astucia propia de su raza lo hace justo antes del amanecer, hora en la que sabe que el valor de los blancos está por los suelos. Los blancos, entretanto, han levantado una tosca empalizada en la cima de aquel terreno ondulado, a cuyos pies discurre un riachuelo, ya que estar demasiado lejos del agua supone la destrucción. Allí esperan el violento ataque, los inexpertos aferrando sus revólveres y haciendo crujir ramitas, mientras que los veteranos duermen tranquilamente hasta justo antes del amanecer. A través de la larga y oscura noche los exploradores salvajes se deslizan, como serpientes, por entre la hierba sin mover ni una

brizna. La maleza se cierra tras ellos tan silenciosamente
como la arena por la que se ha introducido un topo. No
se oye ni un ruido, salvo cuando sueltan una asombrosa
imitación del aullido solitario de un coyote. Otros bravos
contestan al grito y algunos lo hacen aún mejor que los
coyotes, a quienes no se les da muy bien. Así van pasando
las frías horas y la larga incertidumbre resulta tremendamente agotadora para el rostro pálido que tiene que pasar
por ella por primera vez, pero para el perro viejo esos
espantosos gritos y esos silencios aún más espantosos no
son sino una indicación de cómo está transcurriendo la
noche.

Garfio sabía tan bien que éste era el sistema habitual
que no se le puede disculpar por pasarlo por alto alegan-
do que lo desconocía.

Los piccaninnis, por su parte, confiaban sin reservas en
su sentido del honor y todos sus actos de esa noche
presentan un claro contraste con los de él. No dejaron de
hacer nada que no fuera consecuente con la reputación de
su tribu. Con esa agudeza de los sentidos que es al mismo
tiempo el asombro y la desesperación de los pueblos
civilizados, supieron que los piratas estaban en la isla
desde el momento en que uno de ellos pisó un palo seco y
al cabo de un rato increíblemente corto comenzaron los
aullidos de coyote. Cada palmo de terreno entre el punto
donde Garfio había desembarcado a sus fuerzas y la casa
de debajo de los árboles fue examinado sigilosamente por
bravos que llevaban los mocasines calzados del revés.
Sólo encontraron una única colina con un riachuelo a los
pies, de forma que Garfio no tenía elección: aquí debía
instalarse y esperar hasta justo antes del amanecer. Ya que
todo estaba organizado de esta forma con astucia casi
diabólica, el grueso principal de los pieles rojas se arropó
en sus mantas y con esa flemática actitud que para ellos es
la quintaesencia de la hombría se sentaron en cuclillas

encima del hogar de los niños, aguardando el frío momento en que tendrían que sembrar la pálida muerte.

En este lugar, soñando, aunque bien despiertos, con las exquisitas torturas a las que lo someterían al amanecer, fueron sorprendidos los confiados salvajes por el traicionero Garfio. Según los relatos facilitados después por aquellos de los exploradores que escaparon a la carnicería, no parece que se hubiera detenido siquiera en la colina, aunque es seguro que debió verla bajo aquella luz grisácea: no parece que en ningún momento se le pasara por la astuta cabeza la idea de esperar a ser atacado, ni siquiera aguardó a que la noche estuviera casi acabada: siguió adelante sin otros principios que los de entrar en batalla. ¿Qué otra cosa podían hacer los desconcertados exploradores, siendo como eran maestros en todas las artes de la guerra menos ésta, sino trotar indecisos tras él, exponiéndose fatalmente, mientras soltaban una patética imitación del aullido del coyote?

Alrededor de la valiente Tigridia había una docena de sus guerreros más resueltos y de pronto vieron a los pérfidos piratas que se les echaban encima. Cayó entonces de sus ojos el velo a través del cual habían contemplado la victoria. Ya no torturarían a nadie en el poste. Ahora los esperaba el paraíso de los cazadores. Lo sabían, pero se portaron como dignos hijos de sus padres. Incluso entonces tuvieron tiempo de agruparse en una falange que habría resultado difícil de romper si se hubieran levantado deprisa, pero esto no les estaba permitido por la tradición de su raza. Está escrito que el noble salvaje jamás debe expresar sorpresa en presencia del blanco. Aunque la repentina aparición de los piratas debía de haber resultado horrible para ellos, se quedaron quietos un momento, sin mover un solo músculo, como si el enemigo hubiera llegado por invitación. Y sólo entonces, habiendo mantenido la tradición valientemente, tomaron las armas y el aire vibró con el grito de guerra, pero ya era demasiado tarde.

No es nuestro cometido describir lo que más fue una matanza que una lucha. Así perecieron muchos de la flor y nata de la tribu de los piccaninnis. Pero no murieron sin ser en parte vengados, pues con Lobo Flaco cayó Alf Mason, que ya no volvería a perturbar el Caribe y entre los que mordieron el polvo se encontraba Geo. Scourie, Chas. Turley* y el alsaciano Foggerty. Turley cayó bajo el tomahawk del terrible Pantera, que finalmente se abrió paso entre los piratas con Tigridia y unos pocos que quedaban de la tribu.

Hasta qué punto tiene Garfio la culpa por su táctica en esta ocasión es algo que toca decidir a los historiadores. De haber esperado en la colina hasta la hora correcta probablemente sus hombres y él habrían sido destrozados y a la hora de juzgarlo es justo tener esto en cuenta. Lo que quizás debería haber hecho era informar a sus adversarios de que se proponía seguir un método nuevo. Por otra parte, esto, al eliminar el factor sorpresa, habría inutilizado su estrategia, de modo que toda la cuestión está sembrada de dificultades. Uno no puede al menos reprimir cierta admiración involuntaria por el talento que había concebido un plan tan audaz y por la cruel genialidad con que se llevó a cabo.

¿Cuáles eran sus propios sentimientos hacia sí mismo en aquel momento de triunfo? Mucho habrían deseado saberlo sus perros, cuando, mientras jadeaban y limpiaban sus sables, se agrupaban a una discreta distancia de su garfio y escudriñaban con sus ojos de hurón a este hombre extraordinario. En su corazón debía de latir el júbilo, pero su cara no lo reflejaba: siempre un enigma

---

* Geo., Chas. = abreviaturas de George y Charles (N. de la T.)

oscuro y solitario, estaba apartado de sus seguidores tanto en cuerpo como en alma.

La tarea de la noche aún no había terminado, pues no era a los pieles rojas a quienes había venido a destruir: éstos no eran más que las abejas que había que ahuyentar, para que él pudiera llegar a la miel. Era a Pan a quien quería, a Pan, a Wendy y a su banda, pero sobre todo a Pan.

Peter era un niño tan pequeño que uno no puede por menos de extrañarse ante el odio de aquel hombre hacia él. Cierto, había echado el brazo de Garfio al cocodrilo, pero ni siquiera esto, ni la vida cada vez más insegura a la que esto condujo, debido a la contumacia del cocodrilo, explican un rencor tan implacable y maligno. Lo cierto es que Peter tenía un algo que sacaba de quicio al capitán pirata. No era su valor, no era su atractivo aspecto, no era... No debemos andarnos con rodeos, pues sabemos muy bien lo que era y no nos queda más remedio que decirlo. Era la arrogancia de Peter.

Esto le crispaba los nervios a Garfio, hacía que su garra de hierro se estremeciera y por la noche lo atosigaba como un insecto. Mientras Peter viviera, aquel hombre atormentado se sentiría como un león enjaulado en cuya jaula se hubiera colado un gorrión.

El problema ahora era cómo bajar por los árboles, o cómo hacer que bajaran sus perros. Los recorrió con ojos ansiosos, buscando a los más delgados. Ellos se removían inquietos, ya que sabían que no tendría el menor escrúpulo en empujarlos hacia abajo con una estaca.

Entretanto, ¿qué es de los chicos? Los hemos visto cuando el primer choque de armas, convertidos, como si dijéramos, en estatuas de piedra, boquiabiertos, apelando a Peter con los brazos extendidos y volvemos a ellos cuando sus bocas se cierran y sus brazos caen a los lados. El infernal estruendo de encima ha cesado casi tan repen-

tinamente como empezó, ha pasado como una violenta
ráfaga de viento, pero ellos saben que al pasar ha decidido
su destino.

¿Qué bando había ganado?

Los piratas, que escuchaban con avidez ante los huecos
de los árboles, oyeron cómo cada chico hacía esa pregunta y ¡ay! también oyeron la respuesta de Peter.

—Si han ganado los pieles rojas —dijo—, tocarán el
tam-tam: ésa es siempre su señal de victoria.

Ahora bien, Smee había encontrado el tam-tam y en ese
momento estaba sentado en él.

—Jamás volveréis a oir el tam-tam —masculló, aunque
en tono inaudible, claro, ya que se había exigido estricto
silencio. Con asombro por su parte Garfio le hizo señas
para que tocara el tam-tam y poco a poco Smee fue
comprendiendo la horrenda maldad de la orden. El muy
simple probablemente jamás había admirado tanto a Garfio.

Dos veces golpeó Smee el instrumento y luego se
detuvo a escuchar regocijado.

—¡El tam-tam! —oyeron gritar a Peter los bellacos—.
¡Una victoria india!

Los desafortunados niños respondieron con un grito
de júbilo que sonó como música en los negros corazones
de arriba y casi al instante volvieron a despedirse de Peter.
Esto desconcertó a los piratas, pero todos sus otros
sentimientos estaban dominados por un regocijo malvado
ante la idea de que el enemigo estaba a punto de subir por
los árboles. Se sonrieron satisfechos los unos a los otros y
se frotaron las manos. Rápido y en silencio Garfio dio sus
órdenes: un hombre en cada árbol y los demás dispuestos
en una fila a dos yardas de distancia.

13. ¿Creéis en las hadas?

Cuanto antes nos libremos de este espanto, mejor. El primero en salir de su árbol fue Rizos. Surgió de él y cayó en brazos de Cecco, que se lo lanzó a Smee, que se lo lanzó a Starkey, que se lo lanzó a Bill Jukes, que se lo lanzó a Noodler y así fue pasando de uno a otro hasta caer a los pies del pirata negro. Todos los chicos fueron arrancados de sus árboles de esta forma brutal y varios de ellos volaban por los aires al mismo tiempo, como paquetes lanzados de mano en mano.

A Wendy, que salió la última, se le dispensó un trato distinto. Con irónica cortesía Garfio se descubrió ante ella y, ofreciéndole el brazo, la escoltó hasta el lugar donde los demás estaban siendo amordazados. Lo hizo con tal donaire, resultaba tan enormemente *distingué,* que se quedó demasiado fascinada para gritar. Al fin y al cabo, no era mas que una niña.

Quizás sea de chivatos revelar que por un momento Garfio la dejó extasiada y sólo la delatamos porque su

desliz tuvo extrañas consecuencias. De haberse soltado altivamente (y nos habría encantado escribir esto sobre ella), habría sido lanzada por los aires como los demás y entonces Garfio probablemente no habría estado presente mientras se ataba a los niños y si no hubiera estado presente mientras se los ataba no habría descubierto el secreto de Presuntuoso y sin ese secreto no podría haber realizado al poco tiempo su sucio atentado contra la vida de Peter.

Fueron atados para evitar que escaparan volando, doblados con las rodillas pegadas a las orejas y para asegurarlos el pirata negro había cortado una cuerda en nueve trozos iguales. Todo fue bien hasta que llegó el turno de Presuntuoso, momento en que se descubrió que era como esos fastidiosos paquetes que gastan todo el cordel al pasarlo alrededor y no dejan cabos con los que hacer un nudo. Los piratas le pegaron patadas enfurecidos, como uno pega patadas al paquete (aunque para ser justos habría que pegárselas al cordel) y por raro que parezca fue Garfio quien les dijo que aplacaran su violencia. Sus labios se entreabrían en una maliciosa sonrisa de triunfo. Mientras sus perros se limitaban a sudar porque cada vez que trataban de apretar al desdichado muchacho en un lado sobresalía en otro, la mente genial de Garfio había penetrado por debajo de la superficie de Presuntuoso, buscando no efectos, sino causas y su júbilo demostraba que las había encontrado. Presuntuoso, blanco de miedo, sabía que Garfio había descubierto su secreto, que era el siguiente: ningún chico tan inflado emplearía un árbol en el que un hombre normal se quedaría atascado. Pobre Presuntuoso, ahora el más desdichado de todos los niños, pues estaba aterrorizado por Peter y lamentaba amargamente lo que había hecho. Terriblemente aficionado a beber agua cuando estaba acalorado, como consecuencia se había ido hinchando hasta alcanzar su actual gordura y en lugar de reducirse para adecuarse a su árbol, sin que los demás lo supieran había rebajado su árbol para que se adecuara a él.

Garfio adivinó lo suficiente sobre esto como para convencerse de que por fin Peter estaba a su merced, pero ni una sola palabra sobre los oscuros designios que se formaban en las cavernas subterráneas de su mente cruzó sus labios; se limitó a indicar que los cautivos fueran llevados al barco y que quería estar solo.

¿Cómo llevarlos? Atados con el cuerpo doblado realmente se los podría hacer rodar cuesta abajo como barriles, pero la mayor parte del camino discurría a través de un pantano. Una vez más la genialidad de Garfio superó las dificultades. Indicó que debía utilizarse la casita como medio de transporte. Echaron a los niños dentro, cuatro fornidos piratas la izaron sobre sus hombros y, entonando la odiosa canción pirata, la extraña procesión se puso en marcha a través del bosque. No sé si alguno de los niños estaba llorando, si era así, la canción ahogaba el sonido, pero mientras la casita desaparecía en el bosque, un valiente aunque pequeño chorro de humo brotó de su chimenea, como desafiando a Garfio.

Garfio lo vio y aquello jugó una mala pasada a Peter. Acabó con cualquier vestigio de piedad por él que pudiera haber quedado en el pecho iracundo del pirata.

Lo primero que hizo al encontrarse a solas en la noche que se acercaba rápidamente fue llegarse de puntillas al árbol de Presuntuoso y asegurarse de que le proporcionaba un pasadizo. Luego se quedó largo rato meditando, con el sombrero de mal agüero en el césped, para que una brisa suave que se había levantado pudiera removerle refrescante los cabellos. Aunque negros eran sus pensamientos sus ojos azules eran dulces como la pervinca. Escuchó atentamente por si oía algún sonido que proviniera de las profundidades, pero abajo todo estaba tan silencioso como arriba: la casa subterránea parecía ser una morada vacía más en el abismo. ¿Estaría dormido ese chico o estaba apostado al pie del árbol de Presuntuoso, con el puñal en la mano?

No había forma de saberlo, excepto bajando. Garfio dejó que su capa se deslizara suavemente hasta el suelo y luego, mordiéndose los labios hasta que una sangre obscena brotó de ellos, se metió en el árbol. Era un hombre valiente, pero por un momento tuvo que detenerse allí y enjugarse la frente, que le chorreaba como una vela. Luego se dejó caer en silencio hacia lo desconocido.

Llegó sin problemas al pie del pozo y se volvió a quedar inmóvil, recuperando el aliento, que casi lo había abandonado. Al írsele acostumbrando los ojos a la luz difusa varios objetos de la casa de debajo de los árboles cobraron forma, pero el único en el que se posó su ávida mirada, buscado durante tanto tiempo y hallado por fin, fue la gran cama. En ella yacía Peter profundamente dormido.

Ignorando la tragedia que se estaba desarrollando arriba, Peter, durante un rato después de que se fueran los niños, había seguido tocando la flauta alegremente: sin duda un intento bastante triste de demostrarse a sí mismo que no le importaba. Luego decidió no tomarse la medicina, para apenar a Wendy. Entonces se tumbó en la cama encima de la colcha, para contrariarla todavía más, porque siempre los había arropado con ella, ya que nunca se sabe si no se tendrá frío al avanzar la noche. Entonces casi se echó a llorar, pero se imaginó lo indignada que se pondría si en cambio se riera, así que soltó una carcajada altanera y se quedó dormido en medio de ella.

A veces, aunque no a menudo, tenía pesadillas y resultaban más dolorosas que las de otros chicos. Pasaban horas sin que pudiera apartarse de estos sueños, aunque lloraba lastimeramente en el curso de ellos. Creo que tenían que ver con el misterio de su existencia. En tales ocasiones Wendy había tenido por costumbre sacarlo de la cama y ponérselo en el regazo, tranquilizándolo con mimos de su propia invención y cuando se calmaba lo volvía a meter en la cama antes de que se despertara del todo, para que no se enterara del ultraje a que lo había sometido. Pero en esta ocasión cayó inmediatamente en un sueño sin pesadillas. Un brazo le colgaba por el borde de la cama, tenía una pierna doblada y la parte incompleta de su carcajada se le había quedado abandonada en la boca, que estaba entreabierta, mostrando las pequeñas perlas.

Indefenso como estaba lo encontró Garfio. Se quedó en silencio al pie del árbol mirando a través de la estancia a su enemigo. ¿Se estremeció su sombrío pecho con algún sentimiento de compasión? Aquel hombre no era malo del todo: le encantaban las flores (según me han dicho) y la música delicada (él mismo no tocaba nada mal el clavicémbalo) y, admitámoslo con franqueza, el carácter idílico de la escena lo conmovió profundamente. De haber sido dominado por su parte mejor, habría vuelto a subir de mala gana por el árbol si no llega a ser por una cosa.

Lo que lo detuvo fue el aspecto impertinente de Peter al dormir. La boca abierta, el brazo colgando, la rodilla doblada: eran tal personificación de la arrogancia que, en conjunto, jamás volverá, esperamos, a presentarse otra igual ante unos ojos tan sensibles a su carácter ofensivo. Endurecieron el corazón de Garfio. Si su rabia lo hubiera roto en cien pedazos cada uno de éstos habría hecho caso omiso del percance y se habría lanzado contra el durmiente.

Aunque la luz de la única lámpara iluminaba la cama débilmente el propio Garfio estaba en la oscuridad y nada más dar un paso furtivo hacia delante se topó con un obstáculo, la puerta del árbol de Presuntuoso. No cubría del todo la abertura y había estado observando por encima de ella. Al palpar en busca del cierre, descubrió con rabia que estaba muy abajo, fuera de su alcance. A su mente trastornada le dio la impresión entonces de que la molesta cualidad de la cara y la figura de Peter aumentaba visiblemente y sacudió la puerta y se tiró contra ella. ¿Acaso se le iba a escapar su enemigo después de todo?

Pero, ¿qué era aquello? Por el rabillo del ojo había visto la medicina de Peter colocada en una repisa al alcance de la mano. Adivinó lo que era al instante y al momento supo que el durmiente estaba en su poder.

Para que no lo cogieran con vida, Garfio llevaba encima un terrible veneno, elaborado por él mismo a partir de todos los anillos mortíferos que habían llegado a sus manos. Los había cocido hasta convertirlos en un líquido amarillo desconocido para la ciencia y que probablemente era el veneno más virulento que existía.

Echó entonces cinco gotas del mismo en la copa de Peter. Le temblaba la mano, pero era por júbilo y no por vergüenza. Mientras lo hacía evitaba mirar al durmiente, pero no por temor a que la pena lo acobardara, sino simplemente para no derramarlo. Luego le echó una larga y maliciosa mirada a su víctima y volviéndose, subió reptando con dificultad por el árbol. Al salir a la superficie parecía el mismísimo espíritu del mal surgiendo de su agujero. Colocándose el sombrero de lado de la forma más arrogante, se envolvió en la capa, sujetando un extremo por delante como para ocultarse de la noche, que estaba en su hora más oscura y mascullando cosas raras para sus adentros se alejó sigiloso por entre los árboles.

Peter siguió durmiendo. La luz vaciló y se apagó, dejando la vivienda a oscuras, pero él siguió durmiendo. No debían de ser menos de las diez por el cocodrilo, cuando se sentó de golpe en la cama, sin saber qué lo había despertado. Eran unos golpecitos suaves y cautelosos en la puerta de su árbol.

Suaves y cautelosos, pero en aquel silencio resultaban siniestros. Peter buscó a tientas su puñal hasta que su mano lo agarró. Entonces habló.

—¿Quién es?

Durante un buen rato no hubo respuesta; luego volvieron a oírse los golpes.

—¿Quién es?

No hubo respuesta.

Estaba sobre ascuas y le encantaba estar sobre ascuas. Con dos zancadas se plantó ante la puerta. A diferencia de la puerta de Presuntuoso ésta cubría la abertura, así que no podía ver lo que había al otro lado, como tampoco podía verlo a él quien estuviera llamando.

—No abriré si no hablas —gritó Peter.

Entonces por fin habló el visitante, con una preciosa voz como de campanas.

—Déjame entrar, Peter.

Era Campanilla y rápidamente le abrió la puerta. Entró volando muy agitada, con la cara sofocada y el vestido manchado de barro.

—¿Qué ocurre?

—¿A que no lo adivinas? —exclamó y le ofreció tres oportunidades.

—¡Suéltalo! —gritó él; y con una sola frase incorrecta, tan larga como las cintas que se sacan los ilusionistas de la boca, le contó la captura de Wendy y los chicos.

El corazón de Peter latía con furia mientras escuchaba. Wendy prisionera y en el barco pirata, ¡ella, a quien tanto le gustaba que las cosas fueran como es debido!

—Yo la rescataré —exclamó, abalanzándose sobre sus armas. Al abalanzarse se le ocurrió una cosa que podía hacer para agradarla. Podía tomarse la medicina.

Su mano se posó sobre la pócima mortal.

—¡No! —chilló Campanilla, que había oído a Garfio mascullando sobre lo que había hecho mientras corría por el bosque.

—¿Por qué no?

—Está envenenada.

—¿Envenenada? ¿Y quién iba a envenenarla?

—Garfio.

—No seas tonta. ¿Cómo podría haber llegado Garfio hasta aquí?

¡Ay! Campanilla no tenía explicación para esto, porque ni siquiera ella conocía el oscuro secreto del árbol de Presuntuoso. No obstante, las palabras de Garfio no habían dejado lugar a dudas. La copa estaba envenenada.

—Además —dijo Peter, muy convencido—, no me he quedado dormido.

Alzó la copa. Ya no había tiempo para hablar, era el momento de actuar: y con uno de sus veloces movimientos Campanilla se colocó entre sus labios y el brebaje y lo apuró hasta las heces.

—Pero Campanilla, ¿cómo te atreves a beberte mi medicina?

Pero ella no contestó. Ya estaba tambaleándose en el aire.

—¿Qué te ocurre? —exclamó Peter, asustado de pronto.

—Estaba envenenada, Peter —le dijo ella dulcemente—, y ahora me voy a morir.

—Oh, Campanilla, ¿te la bebiste para salvarme?

—Sí.

—Pero, ¿por qué, Campanilla?

Las alas ya casi no la sostenían, pero como respuesta se posó en su hombro y le dio un mordisco cariñoso en la barbilla. Le susurró al oído:

—Cretino.

Luego, tambaleándose hasta su aposento, se tumbó en la cama.

La cabeza de él llenó casi por completo la cuarta pared de su pequeña habitación cuando se arrodilló angustiado junto a ella. Su luz se debilitaba por momentos y él sabía que si se apagaba ella dejaría de existir. A ella le gustaban tanto sus lágrimas que alargó un bonito dedo y dejó que corrieran por él.

Tenía la voz tan débil que al principio él no pudo oir lo que le decía. Luego lo oyó. Le estaba diciendo que creía que podía ponerse bien de nuevo si los niños creían en las hadas.

Peter extendió los brazos. Allí no había niños y era por la noche, pero se dirigió a todos los que podían estar soñando con el País de Nunca Jamás y que por eso estaban más cerca de él de lo que pensáis: niños y niñas en pijama y bebés indios desnudos en sus cestas colgadas de los árboles.

—¿Creéis? —gritó.

Campanilla se sentó en la cama casi con viveza para escuchar cómo se decidía su suerte.

Le pareció oir respuestas afirmativas, pero no estaba segura.

—¿Qué te parece? —le preguntó a Peter.

—Si creéis —les gritó él—, aplaudid: no dejéis que Campanilla se muera.

Muchos aplaudieron.

Algunos no.

Unas cuantas bestezuelas soltaron bufidos.

Los aplausos se interrumpieron de repente, como si incontables madres hubieran entrado corriendo en los cuartos de sus niños para ver qué demonios estaba pasando, pero Campanilla ya estaba salvada. Primero se le fue fortaleciendo la voz, luego saltó de la cama y por fin se puso a revolotear como un rayo por la habitación más alegre e insolente que nunca. No se le pasó por la cabeza dar las gracias a los que creían, pero le habría gustado darles su merecido a los que habían bufado.

—Y ahora a rescatar a Wendy.

La luna corría por un cielo nublado cuando Peter salió de su árbol, cargado de armas y sin apenas nada más, para emprender su peligrosa aventura. No hacía el tipo de noche que él hubiera preferido. Había tenido la esperanza de volar, no muy lejos del suelo para que nada inusitado escapara a su atención, pero con aquella luz mortecina volar bajo habría supuesto pasar su sombra a través de los árboles, molestando así a los pájaros y notificando a un enemigo vigilante que estaba en camino.

Lamentaba que el haber puesto unos nombres tan raros a los pájaros de la isla les hiciera ahora ser muy indómitos y difíciles de tratar.

No quedaba más remedio que ir avanzando al estilo indio, en lo cual por fortuna era un maestro. Pero, ¿en qué dirección, ya que no estaba seguro de que los niños hubieran sido llevados al barco? Una ligera nevada había borrado todas la huellas y un profundo silencio reinaba en la isla, como si la Naturaleza siguiera aún horrorizada por la reciente carnicería. Había enseñado a los niños algo sobre cómo desenvolverse en el bosque que él mismo había aprendido por Tigridia y Campanilla y sabía que en medio de su calamidad no era probable que lo olvidaran. Presuntuoso, si tenía oportunidad, haría marcas en los árboles, por ejemplo, Rizos iría dejando caer semillas y Wendy dejaría su pañuelo en algún lugar importante. Pero para buscar estas señales era necesaria la mañana y no podía esperar. El mundo de la superficie lo había llamado, pero no lo iba a ayudar.

El cocodrilo pasó ante él, pero no había ningún otro ser vivo, ni un ruido, ni un movimiento; sin embargo sabía muy bien que la muerte súbita podía estar acechando junto al próximo árbol, o siguiéndole los pasos.

Pronunció este terrible juramento:

—Esta vez o Garfio o yo.

Entonces avanzó arrastrándose como una serpiente y luego, erguido, cruzó como una flecha un claro en el que jugaba la luna, con un dedo en los labios y el puñal preparado. Era enormemente feliz.

Una luz verde que pasaba como de soslayo por encima del Riachuelo de Kidd, cercano a la desembocadura del río de los piratas, señalaba el lugar donde estaba el bergantín, el *Jolly Roger*, en aguas bajas: un navío de mástiles inclinados, de casco sucio, cada bao aborrecible, como un suelo cubierto de plumas destrozadas. Era el caníbal de los mares y apenas le hacía falta ese ojo vigilante, pues flotaba inmune en el terror de su nombre.

Estaba arropado en el manto de la noche, a través del cual ningún ruido procedente de él podría haber llegado a la orilla. Apenas se oía nada y lo que se oía no era agradable, salvo el zumbido de la máquina de coser del barco ante la cual estaba sentado Smee, siempre trabajador y servicial, la esencia de lo trivial, el patético Smee. No sé por qué resultaba tan inmensamente patético, a menos que fuera porque era tan patéticamente inconsciente de ello, pero incluso los hombres más aguerridos tenían que apartar la mirada de él apresuradamente y en más de una ocasión, en las noches de verano, había removido el manantial de las lágrimas de Garfio, haciéndolas correr. De esto, como de casi todo lo demás, Smee era totalmente inconsciente.

Unos cuantos piratas estaban apoyados en las bordas aspirando el malsano aire nocturno, otros estaban echados junto a unos barriles jugando a los dados y las cartas y los cuatro hombres agotados que habían transportado la casita yacían sobre la cubierta, donde incluso dormidos rodaban hábilmente de un lado a otro para apartarse de Garfio, no fuera a ser que les atizara máquinalmente un zarpazo al pasar.

Garfio paseaba ensimismado por la cubierta. Qué hombre tan insondable. Era la hora de su triunfo. Peter había sido apartado para siempre de su camino y todos los demás chicos estaban a bordo del bergantín a punto de ser pasados por la plancha. Era su hazaña más siniestra desde los tiempos en que venció a Barbacoa y sabiendo como sabemos lo vanidoso que es el hombre, ¿nos habríamos sorprendido si hubiera caminado por la cubierta con paso vacilante, henchido de la gloria de su éxito?

Pero en su paso no había júbilo, lo cual reflejaba el derrotero de su mente sombría. Garfio se sentía profundamente abatido.

Con frecuencia se sentía así cuando conversaba consigo mismo a bordo del barco en la quietud de la noche. Era porque estaba horriblemente solo. Este hombre inescrutable jamás se sentía tan solo como cuando estaba rodeado de sus perros. ¡Eran tan inferiores socialmente a él!

Garfio no era su auténtico nombre. Incluso en estos días revelar quién era en realidad provocaría un enorme escándalo en el país, pero como aquellos que leen entre líneas habrán adivinado ya, había asistido a un famoso colegio privado y las tradiciones de éste seguían cubriéndolo como ropajes, con los cuales efectivamente están muy relacionadas. Por ello aún le resultaba ofensivo subir a un barco con la misma ropa con que lo había capturado y todavía conservaba en su caminar el distinguido aire desgarbado de su colegio. Pero sobre todo conservaba el amor a la buena educación.

¡La buena educación! Por muy bajo que hubiera caído, todavía sabía que esto es lo que realmente cuenta.

Desde su interior oía un chirrido como de portalones oxidados y a través de ellos se oía un severo golpeteo, como martillazos en la noche que impiden dormir. Su eterna pregunta era: «¿Te has comportado hoy con buena educación?»

—La fama, la fama, brillante oropel, es mía —exclamaba él.

—¿Es realmente de buena educación sobresalir en algo? —replicaba el golpeteo de su colegio.

—Yo soy el único hombre a quien Barbacoa temía —insistía él—, y el propio Flint temía a Barbacoa.

—Barbacoa, Flint... ¿a qué casa pertenecen?* —era la cortante respuesta.

La idea más inquietante de todas era si no sería de mala educación pensar sobre la buena educación.

Se le revolvían las entrañas con este problema. Era una garra que llevaba dentro más afilada que la de hierro y mientras lo desgarraba, el sudor resbalaba por su rostro cetrino y le manchaba el jubón. A menudo se pasaba la manga por la cara, pero no había forma de detener el goteo.

Ah, no envidiéis a Garfio.

Le sobrevino un presentimiento sobre su pronto final.

---

* Se refiere a las casas o residencias para estudiantes en que se dividen algunos colegios privados o universidades en Gran Bretaña. Cada alumno está adscrito a una casa y debe mantener alto el prestigio de la misma (N. de la T.)

Era como si el terrible juramento de Peter hubiera abordado el barco. Garfio sintió el lúgubre deseo de pronunciar su último discurso, no fuera a ser que pronto ya no hubiera tiempo para ello.

—Habría sido mejor para Garfio —exclamó—, haber tenido menos ambición.

Sólo en sus momentos más negros se refería a sí mismo en tercera persona.

—Los niños no me quieren.

Es curioso que pensara en esto, que antes jamás lo había preocupado: quizás la máquina de coser le diera la idea. Estuvo largo rato mascullando para sus adentros, contemplando a Smee, que cosía plácidamente, convencido de que todos los niños tenían miedo de él.

¡Que tenían miedo de él! ¡Miedo de Smee! No había un solo niño a bordo del bergantín esa noche que no le tuviera cariño ya. Les había dicho cosas espantosas y los había golpeado con la palma de la mano, porque no podía golpearlos con el puño, pero ellos simplemente se habían encariñado aún más con él. Michael se había probado sus gafas.

¡Decirle al pobre Smee que lo encontraban simpático! Garfio ardía en deseos de decírselo, pero le parecía demasiado brutal. En cambio, dio vueltas en la cabeza a este misterio: ¿por qué encuentran simpático a Smee? Rastreó el problema como el sabueso que era. Si Smee era simpático, ¿qué era lo que le hacía ser así? De pronto surgió una horrible respuesta: «¿Buena educación?»

¿Es que el contramaestre era bien educado sin saberlo, lo cual constituye la mejor educación?

Recordó que uno tiene que demostrar que no sabe que se es así antes de poder optar a ser elegido como miembro del Pop*.

---

* Pop = club social (fundado en 1811) en Eton, famoso y elitista colegio

Con un grito de rabia alzó su mano de hierro sobre la cabeza de Smee, pero no descargó el golpe. Lo que lo detuvo fue esta reflexión:

«¿Qué sería matar a un hombre porque es bien educado?»

«¡Mala educación!»

El infeliz Garfio se sentía tan impotente como sudoroso y cayó de bruces como una flor tronchada.

Al pensar sus perros que iba a estar fuera de circulación por un rato, la disciplina se relajó al instante y se pusieron a bailar como locos, cosa que lo reanimó al momento, sin un solo rastro de humana debilidad, como si le hubieran echado un cubo de agua encima.

—Silencio, patanes —gritó—, u os paso por debajo de la quilla.

El jaleo se apagó de inmediato.

—¿Están todos los niños encadenados, para que no puedan huir volando?

—Sí, señor.

—Pues subidlos a cubierta.

Sacaron a rastras de la bodega a los desdichados prisioneros, a todos menos a Wendy y los colocaron en fila delante de él. Por un rato pareció no advertir su presencia. Se acomodó sin prisas, tarareando, sin desafinar, por cierto, pasajes de una canción grosera y jugueteando con una baraja. De cuando en cuando la brasa de su cigarro daba un toque de color a su cara.

—Bueno, muchachotes —dijo enérgicamente—, esta noche seis de vosotros seréis pasados por la plancha, pero tengo sitio para dos grumetes. ¿Quién de vosotros quiere serlo?

—No lo irritéis sin necesidad —les había recomendado

privado de Inglaterra, del que se deduce que fue alumno el capitán Garfio (N. de la T.)

Wendy en la bodega, de forma que Lelo dio un paso
adelante cortésmente. Lelo aborrecía la idea de servir a las
órdenes de semejante hombre, pero un instinto le dijo
que sería prudente atribuir la responsabilidad a una persona ausente y, aunque era algo tonto, sabía que sólo las
madres están siempre dispuestas a hacer de parachoques.
Todos los niños saben que las madres son así y las
desprecian por eso, pero se aprovechan de ello constante-
mente.

Así que Lelo explicó con prudencia:

—Verá usted, señor, es que no creo que a mi madre le
gustara que yo fuera pirata. ¿Le gustaría a tu madre que
fueras pirata, Presuntuoso?

Le guiñó un ojo a Presuntuoso, quien dijo apesadumbrado:

—No creo —como si deseara que las cosas no fueran
así—. Gemelo, ¿a tu madre le gustaría que fueras pirata?

—No creo —dijo el primer gemelo, tan despabilado
como los otros—. Avispado, ¿a tu madre...?

—Basta de cháchara —rugió Garfio y los portavoces
fueron arrastrados a su sitio.

—Tú, chico —dijo, dirigiéndose a John—, parece que
tú tienes algo de agallas. ¿No has querido nunca ser
pirata, valiente?

Ahora bien, a veces John había experimentado este
deseo al luchar con las matemáticas de primero y le chocó
que Garfio lo eligiera.

—Una vez pensé en llamarme Jack Mano Roja —dijo
con timidez.

—Un buen nombre, ya lo creo. Aquí te llamaremos así,
si te unes, muchachote.

—¿Tú qué crees, Michael? —preguntó John.

—¿Cómo me llamaríais si me uniera? —preguntó Michael.

—Joe Barbanegra.

Naturalmente, Michael se quedó muy impresionado.

—¿Qué te parece, John?

Quería que John decidiera y John quería que decidiera él.

—¿Seguiremos siendo respetuosos súbditos del rey? —preguntó John.

Garfio contestó entre dientes:

—Tendríais que jurar «Abajo el rey».

Quizás John no se había comportado muy bien hasta entonces, pero ahora estuvo a la altura de las circunstancias.

—Entonces no quiero —exclamó, golpeando el barril que tenía Garfio delante.

—Y yo tampoco —gritó Michael.

—¡Viva Inglaterra! —chilló Rizos.

Los enfurecidos piratas les pegaron en la boca y Garfio rugió:

—Eso será vuestra perdición. Traed a su madre. Preparad la plancha.

Sólo eran unos niños y se quedaron blancos al ver a Jukes y a Cecco preparar la plancha mortal. Pero trataron de parecer valientes cuando trajeron a Wendy.

Nada de lo que yo pueda decir os dará una idea de cómo despreciaba Wendy a aquellos piratas. Para los chicos había por lo menos cierto atractivo en la vocación pirata, pero lo único que ella veía era que el barco no había sido fregado desde hacía años. No había ni una sola portilla sobre cuyo mugriento cristal no se pudiera escribir «Guarro» con el dedo y ella ya lo había escrito en varios. Pero, como es natural, cuando los chicos se agruparon a su alrededor no pensaba más que en ellos.

—Bueno, hermosa mía —dijo Garfio, hablando como si tuviera la boca llena de caramelo—, vas a ver cómo tus niños son pasados por la plancha.

Aunque era un refinado caballero, la intensidad de sus meditaciones le había manchado la gorguera y de pronto se dio cuenta de que ella la estaba observando. Con un movimiento apresurado trató de taparla, pero ya era tarde.

—¿Van a morir? —preguntó Wendy, con una mirada de desprecio tan olímpico que él casi se desmayó.

—Sí —gruñó y exclamó relamiéndose—: Silencio todo el mundo; oigamos las últimas palabras de una madre a sus hijos.

En este momento Wendy estuvo magnífica.

—Estas son mis últimas palabras, queridos —dijo con firmeza—. Creo que tengo un mensaje para vosotros de parte de vuestras madres auténticas y es el siguiente: «Esperamos que nuestros hijos mueran como caballeros ingleses.»

Incluso los piratas se quedaron sobrecogidos y Lelo exclamó histéricamente:

—Voy a hacer lo que espera mi madre. ¿Tú qué vas a hacer, Avispado?

—Lo que espera mi madre. ¿Tú qué vas a hacer, Gemelo?

—Lo que espera mi madre. John, ¿tú qué vas...?

Pero Garfio había recuperado el habla.

—Atadla —gritó.

Fue Smee quien la ató al mástil.

—Escucha, rica —susurró—, te salvaré si prometes ser mi madre.

Pero ni siquiera por Smee estaba dispuesta a prometer tal cosa.

—Casi preferiría no tener hijos —dijo con desdén.

Es triste saber que ni un solo chico la estaba mirando mientras Smee la ataba al mástil: todos tenían los ojos clavados en la plancha, el último paseo que iban a dar. Ya no conseguían tener la esperanza de caminar por ella con gallardía, pues habían perdido la capacidad de pensar, sólo podían mirar y temblar.

Garfio sonrió con los dientes apretados burlándose de ellos y dio un paso hacia Wendy. Su intención era volverle la cara para que viera a los chicos caminando por la plancha uno por uno. Pero jamás llegó hasta ella, jamás oyó el grito de angustia que esperaba arrancarle. En cambio, oyó otra cosa.

Era el horrible tic tac del cocodrilo.

Todos lo oyeron: los piratas, los chicos, Wendy; e inmediatamente todas las cabezas se volvieron en una dirección: no hacia el agua, de donde procedía el ruido, sino hacia Garfio. Todos sabían que lo que estaba a punto de ocurrir sólo le concernía a él y que de actores habían pasado de repente a ser espectadores.

Fue espantoso observar el cambio que le sobrevino. Era como si le hubieran cortado todas las articulaciones. Cayó hecho un guiñapo.

El ruido se fue acercando sin parar y por delante de él surgió este horrendo pensamiento: «El cocodrilo está a punto de abordar el barco.»

Incluso la garra de hierro colgaba inerte, como si supiera que no era parte intrínseca de lo que quería el atacante. De haberse quedado tan tremendamente solo, cualquier otro hombre habría yacido con los ojos cerrados en el lugar donde cayera, pero el poderoso cerebro de Garfio seguía funcionando y guiado por él se arrastró a cuatro patas por la cubierta alejándose todo lo que pudo del ruido. Los piratas le abrieron paso respetuosamente y sólo cuando se vio arrinconado contra las cuadernas habló.

—Escondedme —gritó roncamente.

Se apiñaron en torno a él, apartando los ojos de lo que estaba subiendo a bordo. No se les ocurrió luchar contra ello. Era el Destino.

Sólo cuando Garfio quedó oculto la curiosidad aflojó los miembros de los chicos y así pudieron correr hasta el costado del barco para ver al cocodrilo trepando por él. Entonces se llevaron la sorpresa mayor de la Noche entre las Noches: pues no era ningún cocodrilo lo que venía en su ayuda. Era Peter.

Les hizo señas para que no soltaran ningún grito de admiración que pudiera levantar sospechas. Luego siguió haciendo tic tac.

15. «Esta vez o Garfio o yo»

A todos nos ocurren cosas extrañas a lo largo de nuestra vida sin que durante cierto tiempo nos demos cuenta de que han ocurrido. Así, por poner un ejemplo, de pronto descubrimos que hemos estado sordos de un oído desde hace ni se sabe cuánto, pero digamos que media hora. Pues bien, una experiencia de este tipo había tenido Peter aquella noche. Cuando lo vimos por última vez estaba cruzando la isla sigilosamente con un dedo en los labios y el puñal preparado. Había visto pasar al cocodrilo sin notar nada especial en él, pero luego recordó que no había estado haciendo tic tac. Al principio esto le pareció extraño, pero no tardó en llegar a la acertada conclusión de que al reloj se le había acabado la cuerda.

Sin pararse a pensar en lo que podría sentir un prójimo privado tan bruscamente de su compañero más íntimo, Peter se puso a pensar al momento en cómo podía aprovecharse de la catástrofe y decidió hacer tic tac, para que los animales salvajes creyeran que era el cocodrilo y

lo dejaran pasar sin molestarlo. Hizo tic tac magníficamente, pero con un resultado insospechado. El cocodrilo
estaba entre los que oyeron el sonido y se puso a seguirlo,
aunque ya fuera con el propósito de recuperar lo que
había perdido, ya fuera simplemente como amigo creyendo que había vuelto a hacer tic tac por su cuenta, es algo
que jamás sabremos con certeza, pues, como todos
los que son esclavos de una idea fija, era un animal
estúpido.

Peter llegó a la playa sin problemas y siguió adelante
sin pararse, metiendo las piernas en el agua como si no se
diera cuenta de que habían entrado en un elemento
nuevo. De esta forma pasan muchos animales de la tierra
al agua, pero ningún otro humano que yo conozca.
Mientras nadaba sólo pensaba en una cosa: «Esta vez o
Garfio o yo.» Llevaba tanto tiempo haciendo tic tac que
seguía haciéndolo sin percatarse de ello. Si lo hubiera
sabido se habría parado, ya que subir al bergantín con
ayuda del tic tac, aunque era una idea ingeniosa, no se le
había ocurrido.

Por el contrario, creía que había trepado por su costado
silencioso como un ratón y se sorprendió al ver a los
piratas apartándose de él, con Garfio en medio de ellos
tan abatido como si hubiera oído al cocodrilo.

¡El cocodrilo! Tan pronto como Peter lo recordó oyó
el tic tac. Al principio creyó que el ruido sí que procedía
del cocodrilo y miró hacia atrás rápidamente. Luego cayó
en la cuenta de que lo estaba haciendo él mismo y al
instante se hizo cargo de la situación. «Qué listo soy»,
pensó de inmediato y les hizo señas a los chicos de que no
prorrumpieran en aplausos.

En ese momento Ed Teynte, el furriel, salió del castillo
de proa y avanzó por la cubierta. Ahora, lector, cronometra con tu reloj lo que pasó. Peter le clavó el puñal bien
hondo. John tapó la boca al malhadado pirata para ahogar

el gemido de agonía. Cayó hacia adelante. Cuatro chicos lo cogieron para evitar el golpe. Peter dio la señal y la carroña fue lanzada por la borda. Se oyó un chapuzón y luego silencio. ¿Cuánto ha durado?

—¡Uno!

(Presuntuoso había empezado a llevar la cuenta).

Menos mal que Peter, todo él de puntillas, desapareció dentro del camarote, ya que más de un pirata estaba armándose de valor para mirar hacia atrás. Ya podían oir la respiración entrecortada de los demás, lo cual les demostraba que el ruido más terrible había pasado.

—Se ha ido, capitán —dijo Smee, limpiándose las gafas—. Ya está todo en calma otra vez.

Poco a poco Garfio fue sacando la cabeza de la gorguera y escuchó tan atentamente que podría haber captado el eco del tic tac. No se oía ni un ruido y se irguió completamente con firmeza.

—Pues a la salud de Johnny Plancha —exclamó con descaro, odiando a los chicos más que nunca porque lo habían visto achantarse. Se puso a cantar esta vil cancioncilla:

—¡Jo, jo, jo, viva la plancha:
Por ella te pasearás
Hasta que baje y tú también
A reunirte con Satanás!

Para aterrorizar aún más a los prisioneros, aunque con cierta pérdida de dignidad, se puso a bailar por una plancha imaginaria, haciéndoles muecas mientras cantaba y cuando terminó gritó:

—¿Queréis probar el gato de nueve colas antes de caminar por la plancha?

Ante esto cayeron de rodillas.

—No, no —exclamaron tan lastimeramente que todos los piratas sonrieron.

—Trae el gato, Jukes —dijo Garfio—, está en el camarote.

¡El camarote! ¡Peter estaba en el camarote! Los niños intercambiaron miradas.

—Sí, señor —dijo Jukes alegremente y entró en el camarote. Lo siguieron con la mirada; apenas se dieron cuenta de que Garfio había reanudado su canción y que sus perros se le habían unido:

—Jo, jo, jo, viva el gato que araña,
Tiene nueve colas, ya veis,
Y al marcarte la espalda...

Nunca sabremos cómo era el último verso, pues de pronto la canción se interrumpió por un horrendo chillido procedente del camarote. Resonó por todo el barco y se apagó. Luego se oyeron unos graznidos que los chicos entendieron muy bien, pero que para los piratas resultaban casi más espeluznantes que el chillido.

—¿Qué ha sido eso? —gritó Garfio.

—Dos —dijo Presuntuoso con solemnidad.

El italiano Cecco vaciló un momento y luego se lanzó hacia el camarote. Salió tambaleándose, blanco como una sábana.

—¿Qué le pasa a Bill Jukes, perro? —siseó Garfio, irguiéndose ante él.

—Lo que le pasa es que está muerto, apuñalado —replicó Cecco con voz sepulcral.

—¡Bill Jukes muerto! —exclamaron los atónitos piratas.

—El camarote está oscuro como la pez —dijo Cecco, casi farfullando—, pero hay algo horrible ahí dentro: lo que oímos graznar.

El júbilo de los chicos, las miradas furtivas de los piratas, todo esto notó Garfio.

—Cecco —dijo con voz más acerada—, vuelve y tráeme a ese pajarraco.

Cecco, valiente entre los valientes, se encogió ante su capitán, exclamando:

—No, no.

Pero Garfio le estaba haciendo carantoñas a su garra.

—¿Has dicho que irías, Cecco? —dijo con aire distraído.

Cecco fue, después de levantar los brazos en un gesto de desesperación. Ya no había más cánticos, todos escuchaban y de nuevo se oyó un chillido agónico y de nuevo un graznido.

Nadie habló excepto Presuntuoso.

—Tres —dijo.

Garfio llamó a sus perros con un gesto.

—Por las barbas de Satanás —bramó—, ¿quién me va a traer a ese pajarraco?

—Espere a que salga Cecco —gruñó Starkey y los demás se unieron a él.

—Me ha parecido oir que te ofrecías, Starkey —dijo Garfio, ronroneando de nuevo.

—¡No, por todos los demonios! —gritó Starkey.

—Mi garfio cree que sí —dijo Garfio acercándose a él—. ¿No crees que sería conveniente darle gusto al garfio, Starkey?

—Que me cuelguen si entro ahí —replicó Starkey empecinado y la tripulación lo volvió a apoyar.

—¿Así que un motín? —preguntó Garfio en un tono más agradable que nunca—. Y Starkey es el cabecilla.

—Piedad, capitán —gimoteó Starkey, ahora todo tembloroso.

—Choca esos cinco, Starkey —dijo Garfio, alargando la garra.

Starkey miró a su alrededor en busca de ayuda, pero todos lo abandonaron. Mientras retrocedía Garfio avanzaba, con la chispa roja en los ojos. Con un grito de desesperación el pirata saltó por encima de Tom el Largo y se precipitó en el mar.

—Cuatro —dijo Presuntuoso.

—Y ahora —preguntó Garfio cortésmente—, ¿hay algún otro caballero que quisiera amotinarse?

Cogiendo un farol y alzando el garfio con gesto amenazador, dijo:

—Yo mismo sacaré a ese pajarraco —y entró corriendo en el camarote.

«Cinco.» Cómo deseaba Presuntuoso decirlo. Se humedeció los labios para estar listo, pero Garfio salió tambaleándose, sin el farol.

—Algo ha apagado la luz —dijo un poco tembloroso.

—¡Algo! —repitió Mullins.

—¿Qué ha sido de Cecco? —preguntó Noodler.

—Está tan muerto como Jukes —dijo Garfio sucintamente.

Su poca gana de regresar al camarote produjo una mala impresión en todos ellos y los gritos rebeldes se dejaron oir de nuevo. Todos los piratas son supersticiosos y Cookson exclamó:

—Dicen que la mejor forma de saber si un barco está maldito es cuando hay una persona más a bordo de las que debería haber.

—Yo he oído decir —murmuró Mullins—, que siempre acaba por subir a bordo de los barcos piratas. ¿Tenía cola, capitán?

—Dicen —dijo otro, mirando a Garfio con rencor—, que cuando llega lo hace con el aspecto del hombre más malvado de a bordo.

—¿Tenía garfio, capitán? —preguntó Cookson con insolencia y uno tras otro fueron repitiendo:

—El barco está maldito.

Ante esto los niños no pudieron evitar soltar una ovación. Garfió había poco menos que olvidado a sus prisioneros, pero al volverse ahora hacia ellos se le volvió a iluminar la cara.

—Muchachos —gritó a su tripulación—, tengo una idea. Abrid la puerta del camarote y metedlos dentro. Que luchen contra ese pajarraco para salvar su vida. Si lo matan, tanto mejor para nosotros; si él los mata a ellos tampoco hemos perdido nada.

Por última vez sus perros admiraron a Garfio y cumplieron fielmente sus órdenes. Metieron a empujones en el camarote a los chicos, que fingían resistirse, y les cerraron la puerta.

—Y ahora, a escuchar —gritó Garfio y todos escucharon. Pero ninguno se atrevía a mirar hacia la puerta. Sí, uno, Wendy, que durante todo este tiempo había estado atada al mástil. No estaba esperando ni un grito ni un graznido: esperaba la reaparición de Peter.

No tuvo que esperar mucho. En el camarote había encontrado lo que había ido a buscar: la llave que liberaría a los niños de sus grilletes y entonces todos avanzaron en silencio, con las armas que pudieron encontrar. Después de indicarles que se escondieran, Peter cortó las ataduras de Wendy y entonces nada les habría sido más fácil que salir volando todos juntos, pero había una cosa que impedía la marcha, un juramento: «Esta vez o Garfio o yo.» De modo que cuando hubo liberado a Wendy, le susurró que se ocultara con los demás y él mismo ocupó su lugar en el mástil, envuelto en su capa para poder pasar por ella. Entonces tomó aliento con fuerza y soltó un graznido.

Para los piratas era una voz que proclamaba que todos los chicos yacían muertos en el camarote y se quedaron aterrorizados. Garfio intentó animarlos, pero como los perros en que los había convertido le enseñaron los dientes y supo que si ahora apartaba la vista de ellos se le echarían encima.

—Muchachos —dijo, dispuesto a engatusar o a golpear según hiciera falta, pero sin acobardarse ni por un instante—, lo he estado pensando. Hay un gafe a bordo.

—Sí —gruñeron ellos—, un tipo con un garfio.

—No, muchachos, no, es la niña. Jamás tuvo suerte un barco pirata con una mujer a bordo. Todo irá bien cuando ella se haya ido.

Algunos recordaron que eso había sido un dicho de Flint.

—Se puede intentar —dijeron no muy convencidos.

—Tirad a la niña por la borda —gritó Garfio y se abalanzaron sobre la figura envuelta en la capa.

—Ya nadie te puede salvar, mocita —siseó Mullins burlonamente.

—Sí que hay alguien —replicó la figura.

—¿Y quién es?

—¡Peter Pan el vengador! —fue la terrible respuesta y al hablar Peter se quitó la capa. Entonces todos supieron quién era el que los había estado aniquilando en el camarote y Garfio trató de hablar dos veces y dos veces fracasó. Creo que en aquel espantoso momento le falló el valor.

—Abridlo en canal —gritó por fin, pero sin convicción.

—Vamos, chicos, a ellos —resonó la voz de Peter y en un momento el choque de las armas retumbaba por todo el barco. Si los piratas se hubieran mantenido agrupados es seguro que habrían ganado, pero el ataque se produjo cuando estaban todos dispersados y se pusieron a correr de un lado a otro, dando golpes a tontas y a locas, cada uno de ellos creyendo que era el último superviviente de la tripulación. Hombre a hombre eran los más fuertes, pero ahora sólo luchaban a la defensiva, lo cual permitía a los chicos cazar por parejas y elegir su presa. Algunos de los villanos saltaban al mar, otros se ocultaban en rincones oscuros, donde los descubría Presuntuoso, que no luchaba, sino que corría por todas partes con un farol con el que les iluminaba la cara, de forma que quedaban deslumbrados y se convertían en presa fácil para las espadas ensangrentadas de los otros chicos. Apenas se oía nada más que el choque de las armas, algún chillido o chapuzón que otro y la voz de Presuntuoso que contaba monótonamente cinco, seis, siete, ocho, nueve, diez, once.

Creo que no quedaba ni uno cuando un grupo de chicos enardecidos rodeó a Garfio, que parecía tener más vidas que un gato, mientras los mantenía a raya en aquel círculo de fuego. Habían acabado con sus perros, pero parecía que ni todos juntos podían con aquel hombre solo. Una y otra vez se echaban contra él y una y otra vez limpiaba él un espacio a zarpazos. Había levantado a un chico con el garfio y lo estaba empleando como escudo cuando otro, que acababa de atravesar a Mullins con su espada, saltó en medio de la refriega.

—Envainad las espadas, chicos —gritó el recién llegado—, este hombre es mío.

De esta forma tan repentina se encontró Garfio cara a cara con Peter. Los demás retrocedieron y formaron un círculo a su alrededor.

Durante largo rato los dos enemigos se estuvieron mirando, Garfio estremeciéndose ligeramente y Peter con esa sonrisa extraña en la cara.

—Bueno, Pan —dijo Garfio por fin—, así que todo esto es obra tuya.

—Sí, James Garfio —fue la severa respuesta—, todo esto es obra mía.

—Jovenzuelo vanidoso e insolente —dijo Garfio—, disponte a morir.

—Hombre oscuro y siniestro —contestó Peter—, defiéndete.

Sin mediar más palabras entraron en combate y durante un tiempo ninguna de las dos espadas llevó ventaja. Peter era un soberbio espadachín y paraba a una velocidad vertiginosa; de cuando en cuando combinaba una finta con una estocada que atravesaba la defensa de su enemigo, pero su menor envergadura no le hacía buen servicio y no conseguía hundir el acero. Garfio, apenas menos hábil que él, pero no tan diestro en el juego de muñeca, lo obligaba a retroceder gracias al peso de sus embestidas, con la esperanza de terminar de golpe con todo mediante una de sus estocadas preferidas, que Barbacoa le había enseñado tiempo atrás en Río, pero ante su asombro descubría que esta estocada era desviada una y otra vez. Entonces trató de acercarse y dar el golpe de gracia con su garfio de hierro, que durante todo este tiempo había estado dando zarpazos al aire, pero Peter lo esquivó agachándose y, embistiendo con fuerza, lo hirió en las costillas. Al ver su propia sangre, cuyo peculiar color, como recordaréis, le resultaba repugnante, la espada cayó de la mano de Garfio y éste quedó a merced de Peter.

—¡Ahora! —gritaron todos los chicos, pero con un gesto magnífico Peter invitó a su adversario a recoger su espada. Garfio lo hizo al instante, pero con la trágica sensación de que Peter se estaba comportando con buena educación.

Hasta entonces había pensado que quien luchaba contra él era una especie de demonio, pero ahora lo asaltaron sospechas más siniestras.

—Pan, ¿quién y qué eres? —exclamó roncamente.

—Soy la juventud, soy la alegría —respondió Peter por decir algo—, soy un pajarillo recién salido del huevo.

Esto, claro está, no eran más que tonterías, pero le demostró al desdichado Garfio que Peter no tenía ni la más mínima idea sobre quién o qué era, lo cual es el colmo de la buena educación.

—En guardia —gritó desesperado.

Luchaba ahora como un látigo humano y cada golpe de aquella terrible espada habría partido en dos a cualquier hombre o muchacho que se hubiera puesto por delante, pero Peter revoloteaba a su alrededor como si el mismo viento que levantaba lo apartara de la zona de peligro. Y una otra vez embestía y hería.

Garfio luchaba ya sin esperanza. Aquel pecho apasionado ya no pedía vivir, pero sí que anhelaba un solo favor: antes de enfriarse para siempre, ver a Peter haciendo gala de mala educación.

Abandonando la lucha corrió hasta la santabárbara y le prendió fuego.

—Dentro de dos minutos —gritó—, el barco saltará en mil pedazos.

Ahora, pensó, ahora se verán los auténticos modales.

Pero Peter salió de la santabárbara con la bomba en las manos y la tiró por la borda tranquilamente.

¿Qué clase de modales estaba mostrando el propio Garfio? Aunque era un hombre equivocado, podemos alegrarnos, sin simpatizar con él, de que al final fuera fiel a las tradiciones de su estirpe. Los demás chicos estaban volando ahora a su alrededor, burlándose con desprecio y mientras tropezaba por la cubierta lanzándoles estocadas impotentes, su mente ya no estaba con ellos: estaba ganduleando por los campos de juego de antaño, o recibiendo los elogios del director, o contemplando el partido desde una famosa pared*. Y los zapatos eran correctos, el chaleco era correcto, la corbata era correcta y los calcetines eran correctos.

---

* Alusión a un juego de pelota practicado contra una pared, característico de Eton (N. de la T.)

Adiós, James Garfio, personaje no sin heroísmo.

Pues hemos llegado a sus últimos momentos.

Al ver a Peter que avanzaba despacio sobre él por el aire con el puñal dispuesto, saltó a la borda para tirarse al mar. No sabía que el cocodrilo lo estaba esperando, ya que paramos el reloj a propósito para evitarle este conocimiento: una pequeña muestra de respeto por nuestra parte al final.

Tuvo un triunfo final, que no creo que debamos quitarle. Mientras estaba de pie sobre la borda volviendo la vista hacia Peter, que flotaba por el aire, lo invitó con un gesto a que empleara el pie. Esto hizo que Peter le diera una patada en lugar de apuñalarlo.

Por fin Garfio había conseguido el favor que anhelaba.

—Eso es mala educación —gritó burlándose y cayó satisfecho hacia el cocodrilo.

Así pereció James Garfio.

—Diecisiete —proclamó Presuntuoso, pero no había llevado bien la cuenta. Quince pagaron el precio de sus crímenes aquella noche, pero dos alcanzaron la orilla: Starkey, que fue capturado por los pieles rojas, quienes lo convirtieron en niñera de todos sus niños, una triste humillación para un pirata, y Smee, quien en adelante se dedicó a vagabundear por el mundo con sus gafas, ganándose la vida precariamente contando que él era el único hombre a quien James Garfio había temido.

Wendy, lógicamente, había estado a un lado sin participar en la lucha, aunque contemplaba a Peter con ojos brillantes, pero ahora que todo había acabado volvió a cobrar importancia. Los alabó a todos por igual y se estremeció encantada cuando Michael le mostró el lugar donde había matado a uno y luego los llevó al camarote de Garfio y señaló su reloj, que estaba colgado de un clavo. ¡Marcaba «la una y media»!

Lo tarde que era resultaba casi lo mejor de todo. Os

aseguro que los acostó en los camastros de los piratas bien
deprisa; a todos menos a Peter, que estuvo paseando
pavoneándose por la cubierta, hasta que por fin se quedó
dormido junto a Tom el Largo. Esa noche tuvo una de
sus pesadillas y lloró en sueños largo rato y Wendy lo
abrazó muy fuerte.

Por la mañana, al dar las dos campanadas* ya estaban todos en marcha, pues había mar gruesa y Lelo, el contramaestre, estaba entre ellos, con un cabo en la mano y mascando tabaco. Todos se pusieron ropas piratas cortadas por la rodilla, se afeitaron muy bien y subieron a cubierta, caminando con el auténtico vaivén de los marineros y sujetándose los pantalones.

No hace falta decir quién era el capitán. Avispado y John eran el primer y segundo oficiales. Había una mujer a bordo. Los demás servían como marineros y vivían en el castillo de proa. Peter ya se había atado al timón, pero llamó a todos a cubierta y les dirigió un breve discurso, en el que dijo que esperaba que todos cumplieran con sus obligaciones como unos valientes, pero que sabía que

---

* Alusión a los toques de campana en un barco para indicar cada media hora en el curso de las guardias, a contar desde medianoche (N. de la T.)

eran la escoria de Río y de la Costa de Oro y que si se
insubordinaban los haría trizas. Sus bravuconas palabras
eran el lenguaje que mejor entienden los marineros y lo
aclamaron con entusiasmo. Luego se despacharon unas
cuantas órdenes e hicieron virar el barco, poniendo rumbo al mundo real.

El capitán Pan calculó, después de consultar la carta de
navegación, que si el tiempo continuaba así deberían
arribar a las Azores hacia el 21 de junio, tras lo cual
ganarían tiempo volando.

Algunos querían que fuera un barco honrado y otros
estaban a favor de que siguiera siendo pirata, pero el
capitán los trataba como a perros y no se atrevían a
exponerle sus deseos ni siquiera con una propuesta colec-
tiva. La obediencia instantánea era lo único sensato.
Presuntuoso se llevó una docena de latigazos por parecer
desconcertado cuando se le dijo que echara la sonda. La
impresión general era que Peter era honrado sólo por el
momento para acallar las sospechas de Wendy, pero que
podría producirse un cambio cuando estuviera listo el
traje nuevo, que, en contra de su voluntad, le estaba
haciendo con algunas de las ropas más canallescas de
Garfio. Se susurraba después entre ellos que la primera
noche en que se puso este traje estuvo largo tiempo
sentado en el camarote con la boquilla de Garfio en la
boca y todos los dedos apretados en un puño, menos el
índice, que tenía curvado y levantado amenazadoramente
como un garfio.

Sin embargo, en lugar de observar lo que pasa en el
barco, ahora debemos regresar a aquella casa desolada de
donde tres de nuestros personajes habían huido sin el
menor miramiento hace ya tanto. Nos da pena no haber
hecho caso al número 14 durante todo este tiempo y sin
embargo podemos estar seguros de que la señora Darling
no nos lo echa en cara. Si hubiéramos regresado antes

para mirarla con apenada compasión, probablemente habría exclamado:

—No seáis tontos, ¿qué importancia tengo yo? Volved a cuidar de los niños.

Mientras las madres sigan siendo así sus hijos se aprovecharán de ellas: pueden contar con eso.

Aun ahora nos aventuramos a entrar en ese conocido cuarto de los niños sólo porque sus legítimos inquilinos vienen de camino a casa: simplemente los adelantamos para ver si sus camas están debidamente aireadas y si el señor y la señora Darling no salen por las noches. No somos más que criados. ¿Por qué demonios deberían estar debidamente aireadas sus camas, después de que los muy desagradecidos se fueran con tantas prisas? ¿No se lo tendrían muy bien merecido si regresaran y se encontraran con que sus padres están pasando el fin de semana en el campo? Sería la lección moral que les ha estado haciendo falta desde que los conocimos, pero si tramáramos las cosas así la señora Darling no nos lo perdonaría jamás.

Hay una cosa que me gustaría muchísimo hacer y que es decirle, como hacen los escritores, que los niños están regresando, que de verdad que estarán de vuelta del jueves en una semana. Esto echaría a perder completamente la sorpresa que están esperando Wendy, John y Michael. Lo han estado imaginando en el barco: el éxtasis de mamá, el grito de alegría de papá, el salto por los aires de Nana para ser la primera en abrazarlos, cuando para lo que tendrían que estar preparándose es para una buena paliza. Qué delicioso sería estropearlo todo adelantando la noticia, de modo que cuando entren con aire imponente la señora Darling pueda no darle ni siquiera un beso a Wendy y el señor Darling pueda exclamar malhumorado:

—Vaya por Dios, ya están aquí estos chicos otra vez.

Sin embargo, no nos darían las gracias ni siquiera por

esto. A estas alturas ya estamos empezando a conocer a la señora Darling y podemos estar seguros de que nos censuraría por quitarles a los niños ese pequeño placer.

—Pero, mi querida señora, faltan diez días para el jueves y explicándole cómo están las cosas, podemos ahorrarle diez días de infelicidad.

—Si, ¡pero a qué precio! Quitándoles a los niños diez minutos de placer.

—Bueno, si es así como lo ve usted.

—¿Y de qué otra forma se puede ver?

¿Veis? Esa mujer no tenía el genio debido. Tenía intención de decir cosas agradabilísimas sobre ella, pero la desprecio y ya no diré nada. Además realmente no hace falta decirle que prepare las cosas, porque ya están preparadas. Todas las camas están aireadas y ella nunca se va de la casa y, mirad, la ventana está abierta. Para lo que le servimos, podríamos volver al barco. Sin embarco, ya que estamos aquí también podemos quedarnos y seguir mirando. Eso es lo único que somos, mirones. Nadie nos quiere. Así que vamos a mirar y a soltar mordacidades, con la esperanza de que alguna haga mella.

El único cambio que se observa en el cuarto de los niños es que entre las nueve y las seis la perrera ya no está allí. Cuando los niños se fueron volando, el señor Darling sintió en lo más profundo de su alma que toda la culpa era suya por haber atado a Nana y que desde el principio ella había sido más inteligente que él. Naturalmente, como hemos visto, era un hombre muy simple, en realidad habría podido volver a pasar por un chiquillo si hubiera podido quitarse la calvicie, pero también tenía un noble sentido de la justicia y un valor indomable a la hora de hacer lo que le parecía correcto y después de haber pensado sobre el asunto con enorme cuidado tras la huida de los niños, se puso a cuatro patas y se metió en la perrera. A todas las cariñosas instancias de la señora

Darling para que saliera replicaba él triste pero firmemente:

—No, mi bien, éste es el lugar que me corresponde.

Amargado por los remordimientos juró que jamás saldría de la perrera mientras sus hijos no volvieran. Lógicamente, era una pena, pero hiciera lo que hiciera el señor Darling siempre lo tenía que hacer en exceso, si no no tardaba en dejar de hacerlo. Y nunca hubo un hombre más humilde que el en tiempos orgulloso George Darling, mientras se pasaba la tarde sentado en la perrera hablando con su mujer de sus hijos y de todos sus detalles encantadores.

Era muy conmovedora su deferencia hacia Nana. No la dejaba entrar en la perrera, pero en todas las demás cuestiones cumplía sus deseos sin rechistar.

Todas las mañanas la perrera, con el señor Darling dentro, era transportada hasta un coche, que lo llevaba a la oficina y regresaba a casa de la misma forma a las seis. Notaremos parte de la fuerza de carácter de este hombre si recordamos lo sensible que era a la opinión de los vecinos, este hombre cuyo más mínimo movimiento llamaba ahora la atención por lo sorprendente. Por dentro debía de estar sufriendo un tormento, pero mantenía una fachada de calma incluso cuando los jóvenes se burlaban de su casita y siempre se descubría cortésmente ante cualquier señora que mirara dentro.

Puede que fuera una quijotada, pero era magnífico. No tardó en conocerse el significado que aquello encerraba y el gran corazón del público se sintió conmovido. Las multitudes seguían al coche, aclamando con fervor, chicas bonitas trepaban a él para conseguir su autógrafo, se publicaban entrevistas en los mejores periódicos y la alta sociedad lo invitaba a cenar, añadiendo: «No deje de venir en la perrera.»

En aquel jueves lleno de emoción la señora Darling

esperaba en el cuarto de los niños a que George volviera a casa: era una mujer de expresión muy triste. Ahora que la miramos de cerca y recordamos su animación de días pasados, desaparecida ahora porque ha perdido a sus niños, me parece que después de todo no voy a ser capaz de decir cosas desagradables de ella. La pobre no podía evitar sentir demasiado cariño por esos monstruitos. Miradla ahí en su butaca, donde se ha quedado dormida. La comisura de su boca, que es lo primero que uno mira, está casi marchita. Su mano se mueve inquieta sobre el pecho como si le doliera. A algunos les gusta más Peter y a otros les gusta más Wendy, pero yo la prefiero a ella. Supongamos que, para hacerla feliz, le susurramos en sueños que los mocosos están en camino.

En realidad están ya a dos millas de la ventana y vienen volando fuerte, pero lo único que hace falta que susurremos es que vienen de camino. Vamos.

Es una lástima que lo hayamos hecho, ya que se ha despertado sobresaltada gritando sus nombres y no hay nadie en la habitación más que Nana.

—Oh, Nana, he soñado que mis pequeños habían vuelto.

Nana tenía los ojos húmedos, pero lo único que pudo hacer fue poner suavemente la pata en el regazo de su ama y así estaban sentadas las dos cuando trajeron la perrera de vuelta. Cuando el señor Darling saca la cabeza para besar a su esposa, vemos que tiene la cara más avejentada que antes, pero con una expresión más dulce.

Le dio el sombrero a Liza, que lo cogió con desprecio, ya que no tenía la más mínima imaginación y era totalmente incapaz de comprender los motivos de este hombre. Fuera, la multitud que había acompañado al coche hasta casa todavía seguía aclamando y, naturalmente, esto no dejaba de conmoverlo.

—Escúchalos —dijo—, es muy gratificante.

—Son una panda de críos —se mofó Liza.

—Hoy había varios adultos —le aseguró él ruborizado, pero cuando ella sacudió la cabeza con sorna él no le dijo ni una palabra de reproche. El éxito social no lo había echado a perder, lo había dulcificado. Estuvo un rato sentado con medio cuerpo fuera de la perrera, hablando con la señora Darling sobre su éxito y estrechándole la mano para tranquilizarla cuando ella le dijo que esperaba que no se le fuera a subir a la cabeza.

—Pero si llego a ser un hombre débil —dijo—. ¡Dios santo, si llego a ser un hombre débil!

—Y, George —dijo ella con timidez—, sigues tan lleno de remordimientos como siempre, ¿verdad?

—¡Tan lleno de remordimientos como siempre, mi amor! Mira mi castigo: vivir en una perrera.

—Pero es un castigo, ¿no es así, George? ¿Estás seguro de que no estás disfrutando con ello?

—¡Pero mi amor!

Os aseguro que ella le pidió perdón y, luego, soñoliento, él se acurrucó en la perrera.

—¿Me tocas algo en el piano de los niños para que me duerma? —le pidió.

Y cuando ella se dirigía al cuarto de jugar añadió sin pensar:

—Y cierra esa ventana. Hay corriente.

—Oh, George, no me pidas nunca que haga eso. La ventana debe estar siempre abierta para ellos, siempre, siempre.

Entonces le tocó a él pedirle perdón y ella fue al cuarto de jugar y tocó el piano y pronto se quedó dormido y, mientras dormía, Wendy, John y Michael entraron volando en la habitación.

Oh, no. Lo hemos escrito así porque ése era el bonito plan que tenían ellos antes de que nos fuéramos del barco, pero debe de haber pasado algo desde entonces, porque no son ellos los que han entrado volando, son Peter y Campanilla.

Las primeras palabras de Peter lo revelan todo.

—Deprisa Campanilla —susurró—, cierra la ventana, échale el pestillo. Así, bien. Ahora tú y yo tenemos que huir por la puerta y cuando Wendy llegue creerá que su madre la ha dejado fuera y tendrá que volver conmigo.

Ya comprendo lo que hasta ahora me venía escamando: por qué cuando Peter hubo exterminado a los piratas no regresó a la isla y dejó que Campanilla guiara a los niños hasta el mundo real. Había tenido planeada esta trampa desde el principio.

En lugar de pensar que se estaba portando mal se puso a bailar de alegría; luego atisbó en el cuarto de jugar para ver quién estaba tocando. Le susurró a Campanilla:

—Esa es la madre de Wendy. Es una señora muy guapa, pero no tan guapa como mi madre. Tiene la boca llena de dedales, pero no tanto como la tenía mi madre.

Por supuesto, él no sabía nada de nada sobre su madre, pero a veces se jactaba de ella.

No conocía la melodía, que era «Hogar, Dulce Hogar», pero sabía que estaba diciendo: «Vuelve, Wendy, Wendy, Wendy» y exclamó entusiasmado:

—Señora, jamás volverá a ver a Wendy, porque la ventana está cerrada.

Volvió a atisbar para ver por qué se había interrumpido la música y entonces vio que la señora Darling había apoyado la cabeza en la caja del piano y que tenía dos lágrimas en los ojos.

«Quiere que abra la ventana», pensó Peter, «pero no lo haré, no señor.»

Volvió a asomarse y las lágrimas seguían allí, u otras dos que habían ocupado su lugar.

—Quiere muchísimo a Wendy —se dijo. Entonces se

enfadó con ella por no darse cuenta de por qué no podía tener a Wendy.

La razón era tan sencilla:

—Yo también la quiero. No podemos tenerla los dos, señora.

Pero la señora no se conformaba y era muy desgraciada. Dejó de mirarla, pero ni siquiera así lo dejaba ella en paz. Se puso a dar brincos y a hacer muecas, pero cuando se detuvo era como si ella estuviera dentro de él, llamando.

—Bueno, está bien —dijo por fin y tragó con dificultad. Luego abrió la ventana.

—Vamos, Campanilla —exclamó, burlándose cruelmente de las leyes de la naturaleza—, a nosotros no nos hace falta ninguna madre tonta.

Y se fueron volando.

Por eso Wendy, John y Michael encontraron la ventana abierta para ellos después de todo, lo cual, por supuesto, era más de lo que merecían. Se posaron en el suelo, sin sentirse avergonzados en absoluto y eso que el más pequeño ya se había olvidado de su hogar.

—John —dijo, mirando a su alrededor con incertidumbre—, creo que he estado aquí antes.

—Claro que sí, tonto. Esta es tu antigua cama.

—Ah, sí —dijo Michael, sin demasiada convicción.

—¡Oye! —exclamó John—. ¡La perrera!

Y corrió hasta ella para mirarla.

—A lo mejor está Nana dentro —dijo Wendy.

Pero John soltó un silbido.

—Caramba —dijo—, si hay un hombre metido ahí.

—¡Es papá! —exclamó Wendy.

—Dejadme ver a papá —rogó Michael con ansia y lo examinó atentamente.

—No es tan grande como el pirata que maté —dijo con una desilusión tan patente que me alegro de que el señor

Darling estuviera dormido: habría sido muy triste si ésas hubieran sido las primeras palabras que le oyera decir a su pequeño Michael.

Wendy y John se habían quedado algo pasmados al encontrar a su padre en la perrera.

—Pero —dijo John, como quien ha perdido fe en su memoria—, él no dormía en la perrera, ¿verdad?

—John —dijo Wendy con voz entrecortada—, quizás no recordamos nuestra antigua vida tan bien como creíamos.

Se quedaron helados y bien merecido que se lo tenían.

—Qué poco delicado por parte de mamá —dijo el bribonzuelo de John—, no estar aquí cuando regresamos.

Entonces la señora Darling se puso a tocar de nuevo.

—¡Es mamá! —exclamó Wendy, asomándose.

—¡Pues sí! —dijo John.

—¿Entonces tú no eres nuestra madre de verdad, Wendy? —preguntó Michael, que estaba muy soñoliento.

—¡Dios mío! —exclamó Wendy, con sus primeros remordimientos auténticos—. Desde luego, ya iba siendo hora de que volviéramos.

—Vamos a entrar sin hacer ruido —propuso John—, y a taparle los ojos con las manos.

Pero a Wendy, que se dio cuenta de que debían dar la grata noticia con algo más de suavidad, se le ocurrió un plan mejor.

—Vamos a meternos todos en la cama y a quedarnos ahí cuando entre, como si nunca nos hubiéramos ido.

Y por eso cuando la señora Darling volvió al cuarto de los niños para ver si su esposo estaba dormido, todas las camas estaban ocupadas. Los niños aguardaban su grito de alegría, pero éste no se produjo. Los vio, pero no se creyó que estuvieran allí. Es que los veía en sus camas tan a menudo al soñar que se pensó que aquello no era más que el sueño que seguía rondándole por la cabeza.

Se sentó en la butaca junto al fuego, donde en otros tiempos los había amamantado.

Ellos no lo entendían y un miedo helado se apoderó de los tres.

—¡Mamá! —gritó Wendy.

—Esa es Wendy —dijo ella, pero seguía convencida de que era el sueño.

—¡Mamá!

—Ese es John —dijo.

—¡Mamá! —gritó Michael. Ya la había reconocido.

—Ese es Michael —dijo ella y alargó los brazos hacia los tres niños egoístas a quienes jamás volverían a estrechar. Pero sí que lo hicieron, rodearon a Wendy, a John y a Michael, que se habían deslizado fuera de la cama y habían corrido hasta ella.

—George, George —exclamó cuando pudo hablar y el señor Darling se despertó para compartir su dicha y Nana entró corriendo. La escena no podría haber sido más encantadora, pero no había nadie para contemplarla, excepto un extraño chiquillo que miraba por la ventana. Tenía alegrías innumerables que otros niños jamás llegan a conocer, pero estaba contemplando por la ventana la única felicidad a la que jamás podría aspirar.

Espero que queráis saber qué había sido de los demás chicos. Estaban esperando abajo para que Wendy tuviera tiempo de explicar lo que ocurría con ellos y después de contar hasta quinientos subieron. Subieron por la escalera, porque pensaron que causaría mejor impresión. Se pusieron en fila ante la señora Darling, con los gorros en la mano y deseando no estar vestidos de piratas. No dijeron nada, pero sus ojos le suplicaban que se los quedase. Deberían haber mirado también al señor Darling, pero se olvidaron de él.

Por supuesto, la señora Darling dijo inmediatamente que se los quería quedar, pero el señor Darling estaba extrañamente deprimido y se dieron cuenta de que seis le parecía una cantidad bastante grande.

Le dijo a Wendy:

—Debo decir que las cosas no se hacen a medias —un comentario poco generoso que a los gemelos les pareció que iba por ellos.

El primer gemelo era el atrevido y preguntó, ruborizándose:

—¿Cree que seríamos demasiados, señor? Porque si es así nos podemos ir.

—¡Papá! —gritó Wendy, horrorizada, pero él seguía malhumorado. Sabía que se estaba comportando de manera indigna, pero no lo podía evitar.

—Podríamos dormir de dos en dos —dijo Avispado.

—Yo misma les corto el pelo siempre —dijo Wendy.

—¡George! —exclamó la señora Darling, dolida por ver a su amor haciendo gala de una conducta tan reprochable.

Entonces él se echó a llorar y salió a relucir la verdad. Estaba tan contento como ella de tenerlos, dijo, pero creía que deberían haber pedido su consentimiento además del de ella, en lugar de tratarlo como un cero a la izquierda en su propia casa.

—Yo no creo que sea un cero a la izquierda —exclamó Lelo al instante—. ¿Tú crees que es un cero a la izquierda, Rizos?

—No, no me lo parece. ¿A ti te parece un cero a la izquierda, Presuntuoso?

—Pues más bien no. Gemelo, ¿a ti qué te parece?

Resultó que a ninguno de ellos le parecía un cero a la izquierda y él se sintió absurdamente gratificado y dijo que encontraría sitio para todos ellos en el salón si cabían.

—Sí que cabremos, señor —le aseguraron.

—Pues entonces seguid al jefe —gritó alegremente—. Escuchad, no estoy seguro de que tengamos un salón, pero haremos como si lo tuviéramos y será lo mismo. ¡Adelante!

Se fue bailando por la casa y ellos gritaron: «¡Adelante!» y lo siguieron bailando, en busca del salón y no me acuerdo de si lo encontraron, pero en cualquier caso encontraron rincones y todos cupieron.

En cuanto a Peter, vio a Wendy una vez más antes de marcharse volando. No es que llegara a la ventana exactamente, pero la rozó al pasar, para que ella la abriera si quería y lo llamara. Eso fue lo que ella hizo.

—Hola, Wendy y adiós —dijo él.

—Ay, ¿te vas?

—Sí.

—¿No crees, Peter —dijo ella vacilando—, que te gustaría decirles algo a mis padres sobre una cuestión muy bonita?

—No.

—¿Sobre mí, Peter?

—No.

La señora Darling llegó a la ventana, pues por el momento estaba vigilando a Wendy estrechamente. Le dijo a Peter que había adoptado a todos los demás chicos y que le gustaría adoptarlo a él también.

—¿Me mandaría a la escuela? —preguntó él taimadamente.

—Sí.

—¿Y luego a una oficina?

—Supongo que sí.

—¿Y pronto sería mayor?

—Muy pronto.

—No quiero ir a la escuela a aprender cosas serias —le dijo con vehemencia—. No quiero ser mayor. Ay, madre de Wendy, ¡qué horror si me despertara y notara que tengo barba!

—¡Peter! —dijo Wendy, siempre consoladora—. Me encantaría verte con barba.

Y la señora Darling le tendió los brazos, pero él la rechazó.

—Atrás, señora, nadie me va a atrapar para convertirme en una persona mayor.

—¿Pero dónde vas a vivir?

—Con Campanilla en la casa que construimos para Wendy. Las hadas la pondrán en lo alto de la copa de los árboles en los que duermen de noche.

—Qué bonito —exclamó Wendy con tanto anhelo que la señora Darling la sujetó firmemente.

—Yo creía que las hadas estaban todas muertas —dijo la señora Darling.

—Siempre hay muchas jóvenes —explicó Wendy, que era ahora toda una experta—, porque, verás, cuando un bebé nuevo se ríe por primera vez nace una nueva hada y como siempre hay bebés nuevos siempre hay hadas nuevas. Viven en nidos en las copas de los árboles y las de color malva son chicos y las de color blanco, chicas, y las de color azul, unas tontuelas que no saben muy bien lo que son.

—Lo voy a pasar estupendo —dijo Peter, observando a Wendy.

—Estarás bastante solo por la noche —dijo ella—, cuando te sientes junto al fuego.

—Tendré a Campanilla.

—Pues Campanilla no es que sea mucha ayuda, que digamos —le recordó ella con algo de aspereza.

—¡Chivata! —gritó Campanilla desde el otro lado de la esquina.

—Eso no importa —dijo Peter.

—Oh, Peter, tú sabes que sí importa.

—Pues entonces ven a la casita conmigo.

—¿Puedo, mamá?

—Por supuesto que no. Te tengo otra vez en casa y estoy decidida a conservarte.

—Pero es que le hace tanta falta una madre.

—A ti también, mi amor.

—Oh, está bien —dijo Peter, como si lo hubiera pedido sólo por cortesía, pero la señora Darling vio cómo le temblaba la boca y le hizo esta bella oferta: que Wendy se fuera con él durante una semana todos los años para hacer la limpieza de primavera. Wendy habría preferido algo más permanente y le parecía que la primavera iba a tardar mucho en llegar, pero esta promesa hizo que Peter se volviera a poner muy contento. No tenía noción del tiempo y corría tantas aventuras que todo lo que os he contado sobre él no es más que una mínima parte. Supongo que porque Wendy lo sabía las últimas palabras que le dirigió fueron en tono quejumbroso:

—Peter, ¿verdad que no te olvidarás de mí antes de que llegue la limpieza de primavera?

Naturalmente, Peter se lo prometió y luego se alejó volando. Se llevó consigo el beso de la señora Darling. El beso que no había sido para nadie más Peter lo consiguió con gran facilidad. Curioso. Pero ella parecía satisfecha.

Por supuesto, todos los chicos fueron enviados a la escuela y casi todos entraron en la Clase III, pero Presuntuoso fue colocado primero en la Clase IV y luego en la Clase V. La Clase I es la más alta. Después de asistir a la escuela durante una semana se dieron cuenta de lo tontos que habían sido por no quedarse en la isla, pero ya era demasiado tarde y no tardaron en acostrumbrarse a ser tan normales como vosotros, yo o cualquier hijo de vecino. Es triste tener que decir que poco a poco fueron perdiendo la capacidad de volar. Al principio Nana les ataba los pies a los barrotes de la cama para que no salieran volando por la noche y una de sus diversiones durante el día era fingir que se caían de los autobuses, pero poco a poco dejaron de tirar de sus ataduras en la cama y descubrieron que se hacían daño cuando se soltaban del autobús. Al cabo de un tiempo ni siquiera podían salir volando detrás de sus sombreros. Falta de práctica, decían ellos, pero lo que en realidad quería decir aquello era que ya no creían.

Michael creyó más tiempo que los demás, aunque se

burlaban de él: por eso estaba con Wendy cuando Peter fue a buscarla a finales del primer año. Se fue volando con Peter con el vestido que había tejido con hojas y bayas en el País de Nunca Jamás y lo único que temía era que él pudiera notar lo pequeño que se le había quedado, pero no se dio cuenta, pues tenía muchas cosas que contar sobre sí mismo.

Ella había estado esperando con ilusión mantener emocionantes charlas con él sobre los viejos tiempos, pero las nuevas aventuras habían ocupado el lugar de las viejas en su cabeza.

—¿Quién es el capitán Garfio? —preguntó con interés cuando ella habló del archienemigo.

—¿Pero no te acuerdas? —le preguntó, asombrada—, de cómo lo mataste y nos salvaste a todos la vida?

—Me olvido de ellos después de matarlos —replicó él descuidadamente.

Cuando expresó una esperanza incierta de que Campanilla se alegrara de verla, él dijo:

—¿Quién es Campanilla?

—Oh, Peter —dijo ella, horrorizada, pero ni siquiera se acordaba después de que se lo hubiera explicado.

—Es que hay tantas —dijo—. Supongo que habrá muerto.

Supongo que tenía razón, pues las hadas no viven mucho tiempo, pero son tan chiquititas que un breve espacio de tiempo les parece muy largo.

Wendy se sintió dolida al descubrir que el año que había pasado era como si fuera ayer para Peter: a ella le había parecido un año de espera muy largo. Pero él seguía siendo tan fascinante como siempre y pasaron una primavera maravillosa haciendo la limpieza de la casita de la copa de los árboles.

Al año siguiente no vino por ella. Esperó con un

vestido nuevo porque el viejo sencillamente ya no le entraba, pero él no llegó.

—A lo mejor está enfermo —dijo Michael.

—Sabes que nunca está enfermo.

Michael se acercó a ella y susurró, con un escalofrío:

—¡A lo mejor no existe tal persona, Wendy!

Y entonces Wendy se habría echado a llorar si Michael no hubiera estado llorando ya.

Peter llegó para la siguiente limpieza de primavera y lo raro era que no era consciente en absoluto de que se había saltado un año.

Esa fue la última vez que la niña Wendy lo vio. Durante cierto tiempo trató por él de no tener dolores de crecimiento y sintió que le era desleal cuando obtuvo un premio por cultura general. Pero fueron pasando los años sin que apareciera el descuidado chiquillo y cuando volvieron a encontrarse Wendy era una mujer casada y Peter no era más para ella que el polvillo del baúl donde había conservado sus juguetes. Wendy era adulta. No tenéis que apenaros por ella. Era de las que les gusta crecer. Al final crecía por su propia voluntad un día más deprisa que las demás niñas.

A estas alturas todos los chicos eran ya mayores y se habían estropeado, así que apenas merece la pena decir nada más sobre ellos. Podéis ver cualquier día a los gemelos, a Avispado y a Rizos ir a la oficina, cada uno con una cartera y un paraguas. Michael es maquinista. Presuntuoso se casó con una dama de la nobleza y por eso se convirtió en Lord. ¿Veis a ese juez con peluca que sale por la puerta de hierro? Ese era Lelo. Ese hombre con barba que no se sabe ningún cuento para contárselo a sus hijos era antes John.

Wendy se casó de blanco con un fajín rosa. Es raro pensar que Peter no se posara en la iglesia para prohibir las amonestaciones.

Los años volvieron a pasar y Wendy tuvo una hija. Esto no debería escribirse con tinta, sino con letras de oro.

La llamaron Jane y siempre tuvo una extraña mirada interrogante, como si desde el momento en que llegó al mundo quisiera hacer preguntas. Cuando tuvo edad suficiente para hacerlas eran en su mayoría sobre Peter Pan. Le encantaba oir cosas de Peter y Wendy le contaba todo lo que recordaba en el mismo cuarto de los niños donde se inició el famoso vuelo. Ahora era el cuarto de Jane, pues su padre se lo había comprado al tres por ciento de interés al padre de Wendy, al que ya no le gustaba subir escaleras. La señora Darling estaba ya muerta y olvidada.

Ahora sólo había dos camas en el cuarto, la de Jane y la de su niñera y no había perrera, pues Nana también había fallecido. Murió de vejez y hacia el final había tenido un trato bastante difícil, pues estaba firmemente convencida de que nadie sabía cómo cuidar a los niños excepto ella.

Una vez a la semana la niñera de Jane tenía la tarde libre y entonces le tocaba a Wendy acostar a Jane. Ese era el momento de contar cuentos. Jane se había inventado un juego que consistía en levantar la sábana por encima de su cabeza y la de su madre, formando así una especie de tienda y susurrar en la sobrecogedora oscuridad:

—¿Qué vemos ahora?

—Me parece que esta noche no veo nada —dice Wendy, con la sensación de que si Nana estuviera aquí se opondría a que la conversación continuara.

—Sí, sí que lo ves —dice Jane—, ves cuando eras una niña.

—De eso hace ya mucho, mi vida —dice Wendy—. ¡Ay, cómo vuela el tiempo!

—¿Vuela —pregunta la astuta niña—, como tú volabas cuando eras pequeña?

—¡Como yo volaba! ¿Sabes, Jane? A veces me pregunto si realmente volaba.

—Sí, sí que volabas.

—¡Qué días aquellos cuando podía volar!

—¿Por qué ya no puedes volar, mamá?

—Porque he crecido, mi amor. Cuando la gente crece se olvida de cómo se hace.

—¿Por qué se olvidan de cómo se hace?

—Porque ya no son alegres ni inocentes ni insensibles. Sólo los que son alegres, inocentes e insensibles pueden volar.

—¿Qué es ser alegre, inocente e insensible? Ojalá yo fuera alegre, inocente e insensible.

O quizás Wendy admita que sí ve algo.

—Creo —dice—, que es este cuarto.

—Creo que sí —dice Jane—. Sigue.

Están ya metidas en la gran aventura de la noche en que Peter entró volando en busca de su sombra.

—El muy tonto —dice Wendy—, intentó pegársela con jabón y al no poder se echó a llorar y eso me despertó y yo se la cosí.

—Te has saltado una parte —interrumpe Jane, que se sabe ya la historia mejor que su madre—. Cuando lo viste sentado en el suelo llorando, ¿qué le dijiste?

—Me senté en la cama y dije: «Niño, ¿por qué lloras?»

—Sí, eso era —dice Jane, con un gran suspiro.

—Y luego nos llevó a todos volando al País de Nunca Jamás con las hadas, los piratas, los pieles rojas y la laguna de las sirenas, la casa subterránea y la casita.

—¡Sí! ¿Qué era lo que más te gustaba?

—Creo que lo que más me gustaba era la casa subterránea.

—Sí, a mí también. ¿Qué fue lo último que te dijo Peter?

—Lo último que le dijo fue: «Espérame siempre y una noche me oirás graznar.»

—Sí.

—Pero, fíjate qué pena, se olvidó de mí —dijo Wendy sonriendo. Así de adulta era.

—¿Cómo era su graznido? —preguntó Jane una noche.

—Era así —dijo Wendy, tratando de imitar el graznido de Peter.

—No, así no —dijo Jane toda seria—, era así.

Y lo hizo mucho mejor que su madre.

Wendy se quedó un poco sobrecogida.

—Mi amor, ¿cómo lo sabes?

—Lo oigo a menudo cuando estoy durmiendo —dijo Jane.

—Ah, sí, muchas niñas lo oyen cuando duermen, pero yo fui la única que lo oyó despierta.

—Qué suerte —dijo Jane.

Y entonces una noche se produjo la tragedia. Era primavera y ya se había acabado el cuento por esa noche y Jane estaba ya dormida en su cama. Wendy estaba sentada en el suelo, muy cerca del fuego, para poder ver mientras zurcía, pues no había ninguna otra luz en el cuarto, y mientras zurcía oyó un graznido. Entonces la ventana se abrió de un soplo como en otros tiempos y Peter se posó en el suelo.

Estaba exactamente igual que siempre y Wendy vio al momento que todavía conservaba todos sus dientes de leche.

El era un niño y ella era una persona mayor. Se acurrucó junto al fuego sin atreverse a hacer ningún movimiento, impotente y culpable, una mujer adulta.

—Hola, Wendy —dijo él, sin notar ninguna diferencia, pues estaba pensando sobre todo en sí mismo y a la escasa luz su vestido blanco podría haber sido el camisón con que la había visto por primera vez.

—Hola, Peter —replicó ella débilmente, encogiéndose todo lo posible. Algo en su interior clamaba: «Mujer, mujer, suéltame.»

—Eh, ¿dónde está John? —preguntó él, echando en falta de repente la tercera cama.

—John ya no está aquí —dijo ella con voz entrecortada.

—¿Michael está dormido? —preguntó él, echando un vistazo por encima a Jane.

—Sí —respondió ella y entonces sintió que estaba siendo desleal a Jane además de a Peter.

—Ese no es Michael —dijo rápidamente, no fuera a ser castigada.

Peter miró con más atención.

—Eh, ¿es alguien nuevo?

—Sí.

—¿Chico o chica?

—Chica.

Ahora tendría que entenderlo, pero nada.

—Peter —dijo, vacilando—, ¿estás esperando que me vaya volando contigo?

—Claro, por eso he venido.

Añadió con cierta severidad:

—¿Has olvidado que hay que hacer la limpieza de primavera?

Ella sabía que era inútil decirle que se había saltado muchas limpiezas de primavera.

—No puedo ir —dijo en tono de excusa—. Se me ha olvidado cómo volar.

—No tardo nada en volver a enseñarte.

—Oh, Peter, no malgastes el polvillo de las hadas en mí.

Se había levantado y por fin lo asaltó un temor.

—¿Qué pasa? —exclamó, encogiéndose.

—Voy a encender la luz —dijo ella—, y entonces lo verás.

Casi por única vez en su vida, que yo sepa, Peter se sintió asustado.

—No enciendas la luz —gritó.

Ella revolvió con las manos el pelo de aquel niño trágico. Ya no era una niña desolada por él: era una mujer adulta que sonreía por todo ello, pero con una sonrisa llorosa.

Luego encendió la luz y Peter lo vio. Soltó un grito de dolor y cuando aquel ser alto y hermoso se inclinó para cogerlo en brazos se apartó rápidamente.

—¿Qué pasa? —volvió a exclamar.

Ella tuvo que decírselo.

—Soy mayor, Peter. Tengo mucho más de veinte años. Crecí hace mucho tiempo.

—¡Prometiste que no lo harías!

—No pude evitarlo. Soy una mujer casada, Peter.

—No, no es cierto.

—Sí y esa niña de la cama es mi hija.

—No, no lo es.

Pero supuso que lo era y se acercó a la niña dormida con el puñal levantado. Naturalmente, no lo clavó. En cambio, se sentó en el suelo y se echó a llorar y Wendy no supo cómo consolarlo, aunque en tiempos podría haberlo hecho con gran facilidad. Ahora no era más que una mujer y salió corriendo de la habitación para tratar de pensar.

Peter siguió llorando y sus sollozos no tardaron en despertar a Jane. Se sentó en la cama y le picó la curiosidad al instante.

—Niño —dijo—, ¿por qué lloras?

Peter se levantó y le hizo una reverencia y ella le hizo una reverencia desde la cama.

—Hola —dijo él.

—Hola —dijo Jane.

—Me llamo Peter Pan —le dijo.

—Sí, ya lo sé.

—He venido a buscar a mi madre —explicó él—, para llevarla al País de Nunca Jamás.

—Sí, ya lo sé —dijo Jane—. Te he estado esperando.

Cuando Wendy regresó tímidamente se encontró a Peter sentado en el barrote de la cama graznando a pleno pulmón, mientras Jane volaba en camisón por el cuarto en solemne éxtasis.

—Es mi madre —explicó Peter y Jane descendió y se puso a su lado, con la expresión en la cara que le gustaba que tuvieran las damas cuando lo miraban.

—Le hace tanta falta una madre —dijo Jane.

—Sí, lo sé —admitió Wendy bastante abatida—, nadie lo sabe mejor que yo.

—Adiós —le dijo Peter a Wendy y se alzó por los aires y la desvergonzada Jane se alzó con él: para ella ya era la forma más cómoda de moverse.

Wendy corrió a la ventana.

—No, no —gritó.

—Es sólo para la limpieza de primavera —dijo Jane—. Quiere que le haga la limpieza de primavera para siempre.

—Ojalá pudiera ir con vosotros —suspiró Wendy.

—Pero es que no puedes volar —dijo Jane.

Naturalmente, al final Wendy los dejó partir juntos. Nuestra última mirada nos la muestra en la ventana, contemplándolos mientras se alejan por el cielo hasta hacerse tan pequeños como las estrellas.

A medida que observáis a Wendy podéis ver cómo se le va poniendo el pelo blanco y su figura vuelve a ser pequeñita, pues todo esto pasó hace mucho tiempo. Jane es ahora una persona mayor corriente con una hija llamada Margaret y al llegar la limpieza de primavera, salvo cuando se le olvida, Peter viene a buscar a Margaret y se la lleva al País de Nunca Jamás, donde ella le cuenta historias sobre él mismo, que él escucha con avidez. Cuando Margaret crezca tendrá una hija, que a su vez será la madre de Peter y así seguirán las cosas, mientras los niños sean alegres, inocentes e insensibles.

Indice